L'EXPRESS

AUJOURD'HUI LA FRANCE

Choix de textes
présentés par
Ross Steele et José Pavis

Oxford University Press   1994

FRANCE

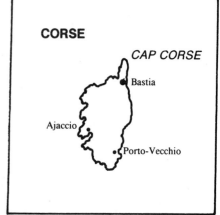

1994 edition published by Oxford University Press,
Walton Street, Oxford OX2 6DP, Great Britain.

ISBN 0 19 912202 4

PRÉFACE

L'Express : Aujourd'hui la France présente la France, les Français et le monde francophone en mouvement vers l'an 2000. Cette sélection de plus de quarante articles, interviews et sondages d'opinion publiés dans *L'Express,* le newsmagazine le plus populaire en France, donne un tableau authentique de la diversité des comportements et des préoccupations chez les Français et les Françaises aujourd'hui. La société française des années quatre-vingt-dix connaît des tensions et des changements profonds à mesure que l'avenir de la France se rapproche de celui de la Communauté Européenne.

L'Express : Aujourd'hui la France commence avec une unité intitulée *Pratique de la lecture.* A travers des articles courts, présentant une vue d'ensemble de la France actuelle, les étudiants apprennent ou révisent des stratégies de lecture qui faciliteront la compréhension globale des textes plus longs constituant les unités thématiques : *Attitudes et comportements, Générations, A travers la France, Styles de vie, Langue française et francophonie, Ecologie et environnement.* Ces textes écrits dans des styles différents reflètent dans leur variété les comportements quotidiens et les opinions de Français et de Françaises appartenant à des groupes socioculturels divers. Les nombreuses photographies, les dessins et les schémas illustrant les textes fournissent également des documents de travail supplémentaires.

Les textes sont accompagnés d'un appareil pédagogique complet, destiné à faciliter leur compréhension. Les connotations les plus importantes dans un contexte francophone sont signalées dans une première section intitulée « Les connotations culturelles » avant l'explication de mots et expressions dans « Les mots ». Si on vise simplement une compréhension globale du texte, on se limitera aux questions posées dans « Les idées essentielles ». Pour une compréhension plus détaillée, on répondra ensuite aux questions posées dans « Analyse des idées ». L'objectif pédagogique est ainsi d'encourager les étudiants d'abord à utiliser les stratégies de lecture acquises dans *Pratique de la lecture* et les questions posées dans « Les idées essentielles » pour approfondir leur connaissance du texte. On pourra ensuite analyser les opinions exprimées dans le texte, réfléchir sur ces opinions et exprimer son point de vue personnel dans une perspective interculturelle.

Les *Activités* basées sur les situations et les idées du texte sont l'occasion pour les étudiants d'améliorer leur compétence orale et leur compétence écrite. Selon leur niveau de compétence, les étudiants réutilisent le vocabulaire du texte et apprennent les stratégies communicatives appropriées dans des dialogues, des discussions et des débats ou en écrivant des lettres, des résumés et des articles de presse. Certaines *Activités* se prêtent à un travail en petits groupes, ce qui stimule l'interaction et l'échange d'idées. Pour chaque texte il y a une ou plusieurs *Activités* simples destinées à aider les étudiants moins avancés ou à consolider les compétences communicatives des étudiants plus avancés. Après la compréhension du texte, les *Activités* développent chez les étudiants la capacité de raisonner, de faire une synthèse et d'exprimer leurs opinions oralement ou par écrit.

La diversité des textes dans *L'Express : Aujourd'hui la France* permet une approche pédagogique très souple selon le niveau et les objectifs de la classe. Si la classe est moins avancée, le professeur insistera davantage sur *Pratique de la lecture* avant d'aborder les unités thématiques.

Le professeur pourra choisir soit quelques textes de chaque unité, soit tous les textes de l'unité si le thème intéresse particulièrement ses étudiants. De toute façon, le choix des unités thématiques se fera en fonction des centres d'intérêt des étudiants. Tantôt le professeur vérifiera seulement la compréhension globale avant de procéder aux *Activités,* tantôt c'est la compréhension détaillée qui occupera une place importante. Le choix des *Activités* dépendra des objectifs du cours et des besoins des étudiants.

L'Express : Aujourd'hui la France met les étudiants en contact direct avec le monde francophone et avec les comportements, les attitudes et les valeurs de Français et de Françaises appartenant à différents groupes socioculturels. De plus, les étudiants, tout en améliorant leurs compétences langagières, développent une compétence interculturelle authentique.

SOMMAIRE

PRATIQUE DE LA LECTURE

L'aventure Cousteau

*Explorateur, homme de spectacle, défenseur
de l'environnement... A 76 ans, le pionnier
du monde du silence largue les amarres
pour une nouvelle odyssée.*

Le commandant en plongée : ses caméras ont révélé le plus fabuleux des univers.

¹ **M**iami, en Floride. C'est la kermesse. Au milieu de la foule, des fanfares et des drapeaux, le commandant Jacques-Yves Cousteau, Jyc pour son équipe, sa femme, Simone, surnommée la Bergère, et leur fils Jean-Michel célèbrent la mise à l'eau de la « Calypso » refaite à neuf. Le maire de la ville, le consul de France, les télévisions se pressent autour du héros de la fête, adulé comme un astronaute aux temps héroïques de la conquête spatiale. La « Calypso » part pour une nouvelle odyssée de quatre ans dans le Pacifique, à la redécouverte du monde.

² Une fois de plus. Chaque départ de la « Calypso » est un événement. Le commandant Cousteau est une vedette aux Etats-Unis. L'an dernier, débarquant de son hélicoptère privé sur la pelouse de la Maison-Blanche, il a reçu la médaille présidentielle de la Liberté. Il converse avec les chefs d'Etat. Outre ses entretiens privés avec le président des Etats-Unis, il a récemment rencontré le président du Brésil et Fidel Castro. Celui-ci, pour lui complaire, a relâché 27 détenus politiques.

³ Idolâtré aux Etats-Unis, Cousteau est également plébiscité par les Français. Paris lui offre un centre océanographique à son nom, qui sera construit l'an prochain au Forum des Halles.

⁴ Comment expliquer cet engouement ? Le talent de cinéaste du commandant Cousteau ne suffit pas. Pour des millions de téléspectateurs, il représente l'homme des missions impossibles, l'aventurier scientifique qui voue sa vie à la préservation des espèces vivantes. Pendant des siècles, les hommes ont navigué sur les océans sans se douter que leurs navires effleuraient le plus fabuleux des continents. Cousteau a ouvert ce nouveau monde. Il a exploré les abysses, les banquises, les villes et les épaves englouties, les lagunes secrètes... Grâce à ses caméras, cet univers s'est révélé lumineux, chatoyant et d'une extraordinaire beauté.

⁵ A 76 ans, Cousteau aurait pu poser enfin son sac de marin. Mais sa curiosité, sa soif d'aventure et sa volonté de protéger la nature l'emportent encore : « Seul le futur m'intéresse. »

AGNES REBATTET ■

STRATEGIES DE LECTURE

Avant de lire

I. La photo et sa légende
Les articles de journaux et de magazines sont souvent illustrés par une photo accompagnée d'une légende (le commentaire sous la photo). On regarde la photo avec sa légende et on lit le titre et le sous-titre pour avoir une idée générale du sujet de l'article. Les informations que vous avez ainsi obtenues peuvent guider votre compréhension de l'article.

Regardez la photo :

1. Où se trouve cet homme ?

2. Qu'est-ce qu'il tient dans ses mains ?

3. A votre avis, qu'est-ce qu'il fait ?

Lisez la légende qui vous permet de confirmer vos réponses aux questions précédentes :

1. Quels mots confirment la réponse aux questions 2 et 3 ci-dessus ?

2. Comment est-ce qu'on décrit l'homme qui plonge ?

3. Quel rôle ont joué ses caméras ?

II. Compréhension du titre et du sous-titre
Il est important de bien lire et comprendre le titre et le sous-titre d'un article de magazine parce que les informations qui y sont données révèlent l'orientation et le sens général du texte. La photo et la légende nous ont déjà donné des informations utiles pour comprendre le texte.

A.

1. Quelles sont les trois caractéristiques de Jacques Cousteau annoncées dans le sous-titre ?

2. Quel mot du sous-titre a un sens équivalent à « aventure » ?

3. Les amarres sont les cordes qui attachent un bateau au quai. Retrouvez, vers la fin du sous-titre, la phrase où paraît le mot « odyssée ». Pouvez-vous dire maintenant quel est le sens de l'expression « largue les amarres » ?

4. Qu'est-ce que l'expression « le monde du silence » signifie ?

B.

Après avoir lu le titre et le sous-titre, complétez le dialogue suivant :

Pierre : Cousteau n'est pas très jeune !

Isabelle : Ah bon, quel âge a-t-il ?

Pierre : Il a _____.

Isabelle : Et c'est vrai qu'il explore les montagnes et les volcans ?

Pierre : Mais non ! Il explore _____ et il va partir faire

_____.

Isabelle : Beaucoup de personnes ont fait ça avant lui ?

Pierre : Non. Cousteau est _____.

Isabelle : Est-ce qu'il aime vraiment la nature ?

Pierre : Oui, il protège _____.

Pour comprendre le texte

I. Compréhension globale du texte

A. Lisez le texte sans vous arrêter et sans utiliser votre dictionnaire. Puis faites une liste des mots, expressions ou phrases qui illustrent les trois caractéristiques de Jacques Cousteau annoncées dans le sous-titre :

un explorateur	un homme de spectacle	un défenseur de l'environnement

B. Répondez maintenant aux questions suivantes :

1. Qui sont les personnes présentes à Miami ?

2. Comment s'appelle le « bateau » de Jacques Cousteau ?

3. Combien de temps est-ce que le voyage va durer ? Dans quel océan ?

4. Donnez le nom de trois pays où Jacques Cousteau est très populaire.

5. Qu'est-ce que Jacques Cousteau filme pendant ses voyages ?

6. Jacques Cousteau a-t-il l'intention de s'arrêter bientôt ? Pourquoi ?

II. Compréhension du vocabulaire que vous ne connaissez pas

Il est probable que vous ne connaissez pas le sens de tous les mots. Pour comprendre le sens général d'un texte, il n'est pas toujours nécessaire de connaître tous les mots. Avant de regarder le sens de ces mots dans un dictionnaire, il faut observer le contexte dans lequel ils paraissent dans le texte. Le thème et le vocabulaire général du texte peuvent aussi vous aider à deviner le sens de ces mots.

A. Le thème de la popularité de Jacques Cousteau

1. Quels sont les mots et expressions dans le texte qui soulignent l'idée que Jacques Cousteau est extrêmement populaire ?

2. Les mots « adulé » (premier paragraphe), « idolâtré » (troisième paragraphe), et « plébiscité » (troisième paragraphe) expriment aussi l'idée d'une grande popularité. Retrouvez ces mots et donnez une paraphrase de chaque mot.

B. Le contexte des mots

1. *La kermesse.* Retrouvez dans le premier paragraphe la phrase où paraît le mot « kermesse ». Puis lisez la phrase suivante. Quels mots dans cette phrase peuvent aider à expliquer le sens du mot « kermesse » ?

2. *L'engouement* (m). Cherchez la question dans le quatrième paragraphe où paraît le mot « engouement ». Le paragraphe précédent donne des exemples de la popularité de Jacques Cousteau. L'objectif de cette question est donc de demander les raisons de cette popularité. Pouvez-vous maintenant suggérer le sens du mot « engouement » ?

3. *Poser son sac de marin.* Cherchez cette expression dans le cinquième paragraphe. A qui appartient ce sac de marin ? Quel âge a cette personne ? Pourquoi y a-t-il le mot « enfin » ? Le verbe « aurait pu » est au conditionnel passé et exprime une hypothèse. Est-ce que cette personne a déjà « posé son sac de marin » ? Pourquoi pas ? La phrase suivante commence par « mais » (qui exprime une opposition à ce qui précède) et vous aidera à trouver la réponse. Dans ce contexte, « poser son sac de marin » est donc une métaphore. Donnez un mot équivalent ou une paraphrase pour cette métaphore.

Activités autour du texte

I. Par oral

1. *Interview.* Vous allez interviewer Jacques Cousteau. Un(e) camarade de classe joue le rôle de Jacques Cousteau. Posez-lui cinq questions sur son travail, ses voyages, etc. Ensuite changez de rôle.

2. *Echange d'idées.* Qu'est-ce que « l'aventure » représente pour vous ? Donnez des exemples.

3. *Débat.* Comment est-ce que l'exemple de Jacques Cousteau peut aider à protéger l'environnement ?

II. Par écrit

1. *Lettre*. Vous écrivez au commandant Cousteau pour lui demander si vous pouvez venir travailler sur la « Calypso ». Vous lui expliquez pourquoi vous voulez faire cela.

2. *Rédaction*. Faites le portrait d'une personne célèbre dans le monde entier, comme Jacques Cousteau.

NOTES

³ **Le Forum des Halles :** centre commercial et culturel qui a remplacé les anciennes Halles au centre de Paris

─────────

² **outre :** en plus de
 complaire : faire plaisir
 relâcher : mettre en liberté
⁴ **vouer sa vie :** passer toute sa vie
 effleurer : toucher légèrement
 banquise (f) : iceberg
 épaves englouties : *ici*, bateaux tombés au fond de la mer
 chatoyant : brillant
⁵ **l'emporter :** *ici*, sont plus fortes

─────────

*Les numéros en marge des *Notes* renvoient aux paragraphes numérotés du texte.

Mon cottage en Normandie

*La région se vend désormais par annonces.
En anglais.*

¹**L**a Normandie serait-elle à vendre ? Les journaux de petites annonces immobilières, en tout cas, sont en train de devenir une nouvelle spécialité de la région. Avec un trait commun : ces publications sont destinées à la clientèle britannique, objet, depuis peu, de toutes les sollicitudes. Coup sur coup, c'est le groupe Méaulle de Bernay qui distribue à 200 000 exemplaires, dans la région londonienne, un recueil de petites annonces intitulé « The Magazine of French Living ». Bientôt suivi par le « Lagrange anglais », (lancé par l'indicateur au nom bien français, en association avec un intermédiaire britannique.) Diffusion annoncée chez les agents immobiliers d'outre-Manche : 25 000 unités.

² Les raisons de cette vogue ? Le futur tunnel sous la Manche, bien sûr, qui a déjà provoqué une vague d'acquisitions de résidences secondaires sur les côtes de la Manche, au nord de la Seine. Et les prix : la chaumière se vend, à Lanquetot ou à Pont-Audemer, de deux à trois fois moins cher que le petit cottage dans le Kent ou le pays de Galles. La clientèle ? Elle n'est pas spécialement fortunée. Plutôt de modestes employés et des fonctionnaires préparant leur retraite. « Devant les agences stationnent plus souvent des voitures familiales Bedford que des Jaguar », commente un vendeur de Vimoutiers. Mais les acheteurs ne viennent pas seuls. Les cabinets britanniques ouvrent des bureaux sur le sol français. En s'alliant astucieusement aux notaires.

³ Les agents immobiliers locaux n'entendent pas laisser passer l'aubaine. Pour soutenir la concurrence, ils n'hésitent pas à retourner à l'école : l'université de Caen leur délivre désormais des cours d'anglais spécialisé. La révolution culturelle n'est toutefois pas à sens unique. Un placard publicitaire paru dans « The Spectator », un hebdomadaire londonien, vante de curieuse façon les mérites d'une acquisition sur le continent : « Les lois de la propriété en France, fondées sur celles de Napoléon, sont par conséquent sûres ! »

ALAIN VERNOT ■

STRATEGIES DE LECTURE

Avant de lire

I. Compréhension du titre et du sous-titre
Vos connaissances générales peuvent aider à comprendre certains mots ou expressions d'un titre ou d'un sous-titre.

A. Dans le titre, il y a le mot « Normandie ». Regardez la carte et utilisez vos connaissances générales pour répondre aux questions suivantes :

 1. Dans quelle partie de la France se trouve la Normandie ?

 2. Est-ce que la Normandie est loin de l'Angleterre ?

 3. Comment s'appelle la mer qui sépare l'Angleterre de la Normandie ?

 4. Est-ce qu'on parle anglais en Normandie ?

 5. Est-ce que le mot « cottage » est un mot qui est souvent utilisé en français ?

B. Les autres mots du titre et du sous-titre que vous connaissez vous permettent d'anticiper le sujet du texte. Selon vous, de quoi est-ce que le journaliste va parler dans ce texte ?

II. A la recherche du thème général de l'article
Souvent la première phrase de chaque paragraphe aide à confirmer le thème de l'article.

1. Lisez la première phrase des trois paragraphes du texte. Puis choisissez, parmi les paraphrases suivantes, celle qui correspond le mieux à chacune d'elles :

   a. Quelles sont les raisons de cette mode ?

   b. Est-ce qu'il est possible d'acheter la Normandie ?

   c. Les agents qui vendent des maisons en Normandie ont l'intention de profiter de ces circonstances favorables.

2. D'après les informations données dans ces trois phrases, répondez aux questions suivantes :

   a. Qu'est-ce qu'on achète en Normandie ?

   b. Est-ce que c'est une situation nouvelle ?

3. Maintenant relisez le titre et le sous-titre du texte et répondez à cette question :
   Pourquoi est-ce que les agents immobiliers écrivent leurs annonces en anglais ?

Pour comprendre le texte

I. Compréhension globale du texte

A. Regardez rapidement le texte. Trouvez au moins huit mots et expressions qui concernent l'Angleterre ; puis classez-les dans les catégories suivantes :

Noms géographiques	Voitures	Publications

B. Relisez, sans vous arrêter, le texte entier, et faites les activités suivantes :

   1. Donnez trois informations sur les gens qui viennent acheter des maisons en Normandie.

   2. Recherchez maintenant les trois questions qui sont posées dans le texte et paraphrasez les réponses qui les suivent.

II. Observations stylistiques

1. *L'utilisation des guillemets.* Cherchez dans le texte tous les guillemets. Vous pouvez remarquer deux façons d'utiliser les guillemets. Lesquelles ?

2. *Le choix des mots.* Pourquoi est-ce que le mot « cottage » est utilisé dans le titre à la place du mot « maison » ?

Activités autour du texte

I. Par oral

1. *Dialogue.* Un couple anglais vient dans une agence immobilière d'un petit village normand. Ils parlent en français avec le directeur de cette agence des possibilités d'acheter un « cottage ». Imaginez ce dialogue.

2. *Echange d'idées.* Aimeriez-vous avoir une maison de campagne ? Pourquoi ou pourquoi pas ?

II. Par écrit

1. *Lettre.* Vous écrivez à un agent immobilier pour lui dire que vous avez un petit « cottage » à vendre. Vous le décrivez.

2. *Rédaction.* Vous avez décidé de vous installer en France. Dans quelle région aimeriez-vous habiter ? Pourquoi ?

NOTES

¹ **Outre-Manche :** de l'autre côté de la Manche
³ **Napoléon** (1769–1821) : il a créé le Code civil qui est à la base du système légal français

---

désormais : à partir de maintenant
¹ **immobilier (ère) :** qui a rapport avec la vente et l'achat de maisons et d'appartements
sollicitude (f) : *ici,* attention
coup sur coup : l'un tout de suite après l'autre
indicateur (m) : journal spécialisé dans les annonces
² **cabinet** (m) (**immobilier**) : agence
notaire (m) : homme ou femme de loi qui est spécialisé(e) dans les contrats
³ **aubaine** (f) : chance
à sens (m) **unique :** qui va seulement dans une direction
placard (m) : annonce
vanter : recommander

Marianne va-t-en guerre

Inès pose entre deux bustes de « Marianne ».

*Inès de la Fressange,
mannequin chez Chanel.*

Au beau milieu des collections d'hiver, l'« affaire » a fait le tour du monde. Inès de la Fressange, mannequin vedette de Chanel, et Karl Lagerfeld, couturier phare de la griffe, se sont fâchés. A cause de la République ! En acceptant de prêter son visage à notre Marianne nationale et en affirmant un peu trop ses opinions, celle qui incarne le look Chanel des années 80 s'est fait « épingler » par le ténébreux Karl : « Marianne est le symbole de tout ce qui est ennuyeux, bourgeois et provincial... Je n'habille pas les monuments classés. » Prétexte mesquin ou lassitude du créateur, après six ans de complicité, la blanche Inès (dont le titre de noblesse remonte à 1439) n'inspire plus le « Kaiser ». A propos, quel sculpteur signera le buste contesté ? La rumeur avance le nom de Charles Matton.

11

STRATEGIES DE LECTURE

Avant de lire

I. Compréhension du titre

Si les noms d'Inès de la Fressange et de Marianne n'évoquent rien pour vous, le titre ne vous permet pas d'anticiper le sens du texte. Vous devez alors chercher dans le texte d'autres éléments qui peuvent orienter votre compréhension, par exemple des noms propres que vous connaissez, des chiffres, des statistiques, des citations, etc.

II. A la recherche du thème général de l'article

1. Trouvez dans le texte le nom des personnes et des institutions.

2. Ensuite, trouvez dans le texte des mots ou des expressions qui vous permettent de deviner la réponse aux questions suivantes :

    a. Qui est Inès de la Fressange ?

    b. Qui est Karl Lagerfeld ?

    c. Dans quelle maison de couture célèbre est-ce qu'ils travaillent ?

    d. Qui est Charles Matton ?

3. Répondez maintenant à ces questions d'anticipation :

    a. Est-ce que Marianne est une personne vivante ?

    b. Est-ce que Marianne est associée à la République ?

    c. Est-ce que Marianne est un symbole national ?

4. Retrouvez dans le texte les expressions suivantes : « prêter son visage à notre Marianne nationale », « les monuments classés » et « le buste contesté ». Pouvez-vous dire maintenant :

    a. si Marianne est un monument ou un buste sculpté ?

    b. quel est le rapport entre Inès de la Fressange et Marianne ?

Pour comprendre le texte

I. Compréhension globale du texte

Lisez rapidement le texte et répondez aux questions suivantes :

1. Qui a incarné le look Chanel des années 80 ?

2. Qui a un titre de noblesse ?

3. Qui est le « Kaiser » ?

4. Combien de temps est-ce qu'Inès de la Fressange et Karl Lagerfeld ont travaillé ensemble ?

5. Quelles sont les causes de leur « guerre » ? (Qu'est-ce qu'Inès de la Fressange a fait ? Quelle est l'attitude de Karl Lagerfeld envers Marianne ? Est-ce que cette attitude est la vraie raison de leur « guerre » ?)

II. Observations stylistiques

1. Des guillemets entourent les mots « affaire », « épingler », « Kaiser » pour indiquer qu'ils ne sont pas utilisés dans leur sens propre. Quel est le sens de ces mots dans ce texte ?

2. Pourquoi est-ce qu'on a utilisé le mot « notre » dans l'expression « notre Marianne nationale » ?

Activités autour du texte

I. Par oral

1. *Dialogue.* Karl Lagerfeld reproche à Inès de la Fressange de vouloir avoir d'autres activités que celle de mannequin. Elle se défend...

2. *Echange d'idées.* Est-ce que la mode vestimentaire est importante pour vous ?

II. Par écrit

1. *Rédaction.* Que pensez-vous du métier de mannequin ?

2. *Rédaction.* Marianne est le symbole de la République française ? Quel est le symbole de votre pays ou de votre ville ? Quelle est l'importance de ces symboles ? Pourquoi ?

NOTES

Marianne : symbole de la République qui se trouve dans toutes les mairies de France. Les actrices Brigitte Bardot et Catherine Deneuve ont été les modèles précédents du buste de Marianne.

Marianne va-t-en guerre : allusion à une chanson très connue pour enfants : « Malbrough s'en va-t-en guerre ».

---

au beau milieu : en plein milieu
couturier (m) **phare :** *ici,* principal couturier
griffe (f) : *ici,* marque prestigieuse
se faire « épingler » : jeu de mots basé sur « épingler » qui est une action très souvent accomplie par un couturier. L'expression complète signifie « se faire attraper »
ténébreux : *ici,* triste, mélancolique
mesquin : médiocre
lassitude (f) : fatigue

EMPLOI

Petits boulots, gros bras

Un « pousseur » dans le métro.

¹**V**irginie et José sont « pousseurs » à la RATP. Postés sur les quais du RER aux stations Auber, Châtelet ou Gare-de-Lyon, ils regardent l'humanité active courir, suer, souffler, s'engouffrer dans les trains. Puis, au signal sonore, ils s'avancent, bras tendus, et poussent, poussent… jusqu'à la fermeture des portières.

² Près de 20 000 jeunes de moins de 25 ans sont aujourd'hui employés au titre des Tuc. La RATP a 600 tucistes en stage dans les couloirs du métro. Virginie et José en sont. Ils gagnent 1 500 francs pour leur mi-temps. Ils ont l'une un peu moins, l'autre un peu plus de 20 ans.

³ Ils ont accepté l'offre de la RATP pour échapper au vide, au chômage, aux aléas de l'intérim. Et dans l'espoir, à terme, d'être définitivement embauchés : « Pour avoir une place stable. » Sur les 2 000 tucistes qui ont travaillé à la RATP depuis trois ans, 150 ont finalement été recrutés.

⁴ Virginie, un CAP de comptabilité en poche, a cherché un poste pendant des mois, en vain. Elle vit chez ses parents. Son père est routier, sa mère au foyer : « Ils en avaient assez de me voir au chômage ». José, ajusteur-monteur, marié, a un bébé. Quand son entreprise a fait faillite, « tout s'est écroulé », dit-il. Il a « galéré » d'intérim en intérim. José, comme Virginie, se plaint amèrement : « Partout, on nous reproche de manquer d'expérience. »

JACQUELINE REMY ■

STRATEGIES DE LECTURE

Avant de lire

I. Compréhension des sigles

Un sigle est formé par la lettre initiale de chaque mot d'une expression. Les sigles sont très fréquents en français. Même si tous les Français ne savent pas reconstituer l'expression d'origine, ils connaissent le sens général du sigle.

1. Cherchez dans le texte les quatre sigles.

2. Trouvez dans le premier paragraphe des mots et expressions qui indiquent un contexte qui nous aide à comprendre le sens de RATP et de RER. Pouvez-vous formuler une hypothèse sur le sens général de ces sigles ?

3. Explication des sigles :
   - **RATP** est formé de l'expression « Régie Autonome des Transports Parisiens », c'est-à-dire, le métro à Paris.
   - **RER** est formé de l'expression « Réseau Express Régional », c'est-à-dire, les trains rapides qui relient Paris et la région parisienne.
   - **TUC** est formé de l'expression « Travaux d'utilité collective ». Le gouvernement français a essayé de créer de nouveaux emplois, souvent à temps partiel, pour aider les chômeurs à trouver du travail. Remarquez que ce sigle a servi de base pour le mot « tuciste », c'est-à-dire, une personne qui fait un travail de TUC.
   - **CAP** est formé de l'expression « Certificat d'aptitude professionnelle ». Les jeunes qui quittent le lycée peuvent s'inscrire dans des cours de formation professionnelle pour obtenir ce diplôme.

II. Compréhension du titre

1. Deux mots du titre ont un sens équivalent au mot « travail ». Lesquels ?

2. Pouvez-vous formuler une hypothèse sur le type de travail où il est utile d'avoir de « gros bras » ?

III. A la recherche du thème général de l'article

A. Ce texte est constitué de quatre paragraphes. Lisez la première phrase de chaque paragraphe, puis répondez aux questions suivantes :

1. Où est-ce que Virginie et José travaillent ?

2. Combien de jeunes font un travail de TUC ?

3. Est-ce que Virginie et José font vraiment le métier de leur choix ?

4. Est-ce qu'il est facile de trouver du travail pour des gens comme Virginie ?

B. Avant de lire le texte, pouvez-vous anticiper la réponse à ces questions ?

1. Est-ce que Virginie et José gagnent beaucoup d'argent avec leur métier de « pousseur » ?

2. Est-ce qu'ils ont moins de vingt-cinq ans ?

3. Est-ce qu'ils aimeraient avoir un autre métier que celui de « pousseur » ?

4. Est-ce qu'ils ont beaucoup d'expérience professionnelle ?

Pour comprendre le texte

Compréhension globale du texte

A. Lisez maintenant le texte entier et retrouvez les informations précises qui vous permettent de confirmer les réponses que vous avez données aux questions ci-dessus, dans III-B.

B. Faites le portrait de Virginie et de José en complétant le tableau ci-dessous :

	Virginie	José
Situation professionnelle :		
Salaire mensuel :		
Profession des parents :		
Diplôme ou travail précédent :		
Expérience professionnelle :		

Activités autour du texte

I. Par oral

1. *Dialogue.* Pendant l'heure du déjeuner, José et Virginie discutent de leur métier de « pousseurs » à la RATP (réactions des gens, fatigue, conditions de travail, espoir de trouver un autre travail etc.). Jouez la scène avec un(e) camarade de classe.

2. *Echange d'idées.* A votre avis, est-ce que les petits boulots sont un bon moyen d'aider les chômeurs ? Etes-vous pour ou contre ce concept de petits boulots ?

3. *Débat.* Qu'est-ce qu'on peut faire pour éviter le chômage des jeunes ?

II. Par écrit

1. *Lettre.* Virginie écrit au directeur de la RATP. Elle n'est pas contente de ses conditions de travail.

2. *Rédaction.* Est-ce qu'il existe un problème de chômage pour les jeunes de votre pays ? Décrivez la situation des jeunes.

NOTES

[1] **suer :** transpirer
 s'engouffrer : *ici,* monter tous ensemble dans le train
 signal (m) **sonore :** *ici,* bruit qui indique que les portières du train vont fermer
[2] **stage** (m) : période de formation spéciale pour apprendre un métier
[3] **aléa** (m) : événement imprévisible
 intérim (m) : travail temporaire
 embaucher : engager (quelqu'un) pour un travail
[4] **routier** (m) : chauffeur de camion
 ajusteur-monteur (m) : métier manuel
 faire faillite : ne pas pouvoir payer ses dettes
 tout s'est écroulé : *ici,* ça a été la fin de tous mes espoirs
 galérer (fam) : travailler dur

Bien tard

Edith Cresson, première femme nommée Premier ministre en France.

¹François Mitterrand a nommé une femme Premier ministre. Il a bien fait : cet événement n'avait que trop tardé, même s'il occulte le vrai problème de l'égalité des sexes en politique, contrée ultramachiste. Il a bien choisi : Edith Cresson, battante horripilée par la pieuvre technocratique, a toutes les qualités pour rompre l'ennui qui progressivement s'emparait du pays. L'anomalie est corrigée. Psychologiquement, le choc est favorable. Donc, Edith Cresson se trouve chargée de préparer la France au choc européen du grand marché de 1993, première étape d'une union économique, monétaire et politique en gestation. Belle mission. Pour laquelle elle ne dispose ni des moyens budgétaires ni du temps nécessaire.

² Edith Cresson aura-t-elle, pour autant, la faculté de mettre la France en position de force vis-à-vis de ses partenaires dans les dix-huit mois à venir, c'est-à-dire en état de supporter la concurrence économique, et de balancer l'influence politique de ses voisins ? Pour simplifier, comment parviendra-t-elle à libérer les ressorts de la modernisation dans un pays ficelé par une réglementation d'un autre âge, confit d'habitudes, perclus de blocages catégoriels ? Les maux dont souffre la société française et qui la rendent malhabile au contact des autres ne datent pas d'aujourd'hui ni d'hier : fiscalité confuse et inadaptée, enseignement pauvre et vétuste, formation professionnelle rétrograde et limitée, système de santé onéreux et incontrôlable, interventionnisme public néfaste, même s'il est baptisé du nom d'économie mixte, décentralisation insuffisante, etc. Il y a belle lurette que nos responsables auraient dû s'attaquer à ce faisceau de contraintes inutiles, dont le solde négatif de notre commerce extérieur industriel n'est que le résultat.

³ Mieux vaut tard, dit-on… Il reste à souhaiter que ce sursaut de lucidité ne soit pas, ici ou là, dévoyé. La tentation du repli, du nationalisme protectionniste n'a pas disparu.

YANN DE L'ECOTAIS ■

STRATEGIES DE LECTURE

Avant de lire

I. Le contexte socio-culturel
Tous les Français votent pour choisir le président de la République de la France, qui est élu pour une période de sept ans. François Mitterrand a été élu Président en 1981 et encore en 1988. Selon la Constitution de 1958, le Président nomme le Premier ministre. En mai 1991, il a demandé à Edith Cresson de remplacer Michel Rocard comme Premier ministre. Nommée ministre de l'Agriculture en 1981, elle a été ensuite ministre du Commerce extérieur, ministre de l'Industrie et ministre des Affaires européennes dans des gouvernements socialistes. C'est la première fois qu'une femme est Premier ministre en France. Edith Cresson a demissioné en avril 1992 et Pierre Bérégovoy est devenu Premier ministre.

II. Compréhension du titre
1. Est-ce que la France est le premier pays du monde avec une femme comme Premier ministre ? Pouvez-vous citer des femmes qui ont été ou sont Premier ministre ou Présidente dans d'autres pays ?

2. Retrouvez dans le texte le verbe « tarder » (être lent à venir) et le début du proverbe « mieux vaut tard que jamais » (il est préférable que cela arrive tard plutôt que cela n'arrive jamais).

3. Est-ce que le journaliste estime que la nomination d'une femme Premier ministre en France arrive tôt ou « bien (très) tard » ? Pourquoi ?

III. A la recherche des thèmes de l'article
Lisez rapidement le texte et indiquez si les affirmations sont vraies ou fausses :

	V	F
1. Edith Cresson a été nommée Premier ministre par François Mitterrand.	☐	☐
2. Edith Cresson est une femme dynamique.	☐	☐
3. Elle favorise l'expansion de l'administration par des technocrates.	☐	☐
4. Edith Cresson a comme objectif d'assurer le succès de la France dans le marché unique créé par les pays de la Communauté economique européenne (CEE) à partir de 1993.	☐	☐
5. Elle dispose de beaucoup d'argent et de temps pour préparer la France à la concurrence économique avec les autres pays de la CEE.	☐	☐
6. La France doit se moderniser si elle veut rester un pays important dans la CEE.	☐	☐

7. Les problèmes qui empêchent la société française de se moderniser sont récents. ☐ ☐

8. Les dirigeants de la France essaient depuis longtemps de résoudre les problèmes qui produisent aujourd'hui le déficit du commerce extérieur industriel. ☐ ☐

9. Certains Français voudraient que la France adopte une politique nationaliste et protectionniste au lieu de s'ouvrir à l'Europe. ☐ ☐

Pour comprendre le texte

I. Compréhension globale du texte

1. Quelles sont les réactions provoquées par la nomination d'Edith Cresson comme Premier ministre de la France ?

2. Pourquoi est-ce que le « grand marché » européen de 1993 aura des conséquences à long terme pour la France ?

3. Selon le journaliste, qu'est-ce qui empêche la modernisation de la France ?

II. Observations stylistiques

1. *Deux sens du mot « bien » :*

   a. Adverbe ayant le sens contraire de « mal » (*Exemple :* Il a *bien* choisi).

   b. Adverbe ayant le sens de « très » et qui renforce l'intensité d'un autre adverbe ou d'un adjectif (*Exemple : Bien* tard).

2. *Adjectifs négatifs.* Dans le deuxième paragraphe, le journaliste utilise des adjectifs négatifs pour décrire les « maux » (problèmes) qui empêchent la France de se moderniser. Retrouvez ces adjectifs et notez l'emploi du préfixe « in- ».

Activités autour du texte

I. Par oral

1. *Discussion à deux.* Un(e) étudiant(e) est très favorable à l'idée qu'un homme et une femme alternent au poste de Premier ministre de votre pays. L'autre est tout à fait opposé(e) à cette idée.

2. *Débat.* « Les femmes apportent une nouvelle dimension à la pratique traditionnelle de la politique. » Discutez cette affirmation.

3. *Interview.* Vous interviewez une femme Premier ministre.

II. Par écrit

1. *Rédaction.* Pensez-vous que les femmes ont une autre façon d'exercer le pouvoir politique ?

2. *Rédaction.* Dans votre pays, est-ce que l'égalité des sexes en politique existe ? Justifiez votre réponse.

NOTES

[1]	**occulter**	cacher
	contrée (f)	*ici,* domaine
	ultramachiste	extrêmement « macho »
	battante	(femme) combative et dynamique
	horripiler	irriter, exaspérer
	pieuvre (f)	animal marin à huit bras ; *ici,* animal qui dévore tout
	s'emparer de	s'installer dans
	chargée de	responsable de
[2]	**faculté** (f)	possibilité
	supporter	faire face à
	ressort (m)	mécanisme
	ficelé	handicappé
	d'un autre âge	*ici,* très ancienne
	confit d'	*ici,* composé d'
	perclus	*ici,* paralysé
	catégoriels	associés aux différentes catégories socio-profession-nelles
	au contact des	dans ses rapports avec les
	vétuste	très vieux, détérioré
	onéreux	qui coûte cher
	public	*ici,* de l'Etat
	il y a belle lurette	il y a très longtemps
	faisceau (m)	groupe ; *ici,* grand nombre
	solde (m) **négatif**	*ici,* déficit
	sursaut (m)	réaction soudaine
[3]	**dévoyé**	*ici,* détourné de son objectif initial
	repli (m)	*ici,* retraite

Raphaël Confiant : l'île de « belleté »

Après avoir écrit en créole pendant douze ans, le romancier (et professeur de latin) martiniquais Raphaël Confiant décide d'écrire en français. Avec « Le Nègre et l'amiral » (Grasset), les métropolitains découvrent une langue pleine d'enchantements. L'auteur explique son choix.

Raphaël Confiant : « Le français tel qu'on le parle aux Antilles. »

[1] **L'Express :** *Pourquoi avoir abandonné le créole ?*

[2] **Raphaël Confiant :** Je ne l'ai nullement abandonné. J'ai toujours été pour le bilinguisme. Mais une langue est comme un arbre : elle mûrit et, quand elle est arrivée à maturité, elle permet d'exprimer des choses extraordinaires. Le créole, lui, est une langue encore trop jeune. Et puis, il faut bien l'avouer, son lectorat reste très limité.

[3] *— L'un de vos personnages est surnommé Bec-en-or, « pour la bonne raison qu'il refusait de s'exprimer autrement qu'en français ». Cela se passait pendant la dernière guerre. Qu'en est-il aujourd'hui ?*

[4] — Il existe aux Antilles un véritable fétichisme de la langue française. Il faut se souvenir que, après l'abolition de l'esclavage, l'accès au « bon français » représentait la seule voie possible de promotion sociale. Aujourd'hui, le débat qui anime les écrivains antillais porte plutôt sur la nature du français que l'on écrit.

⁵ *— Le vôtre est fort différent du français « de métropole »...*

⁶ — Personnellement, j'ai choisi de m'exprimer en français, mais tel qu'on le parle aux Antilles. J'écris donc « belleté » plutôt que « beauté », et « finissement » au lieu de « fin ». C'est cette langue qui est la mienne. Ne pas l'employer serait renier mon identité culturelle. Qu'importe si les puristes des îles me reprochent de « zoulouter » le français ! En métropole, personne n'a eu cette réaction. Au contraire, tous les lecteurs ont été sensibles aux tournures savoureuses, au vocabulaire, qui a conservé beaucoup de mots d'ancien français, comme « caponner », « brocanter », « bréhaigne » ou « mitan », que nous disons couramment pour « avoir peur », « échanger », « stérile » ou « milieu ». Tous ces régionalismes ne peuvent qu'enrichir la langue française.

Propos recueillis par ODILE PERRARD ■

STRATEGIES DE LECTURE

Avant de lire

I. Le contexte socio-culturel
La France en Europe est appelée la « France métropolitaine » ou la « Métropole ». Les parties de la France en dehors de l'Europe comme les Antilles (la Martinique et la Guadeloupe), Tahiti, la Réunion etc. sont appelées « départements ou territoires d'outre-mer ». On y parle le français et la langue locale.

II. Compréhension du titre et de l'introduction
Regardez la photo et lisez la légende. Ensuite lisez le titre et l'introduction.

A. **Vrai ou faux ?**

	V	F
1. La Martinique est une île aux Antilles.	☐	☐
2. Raphaël Confiant habite en France.	☐	☐
3. Raphaël Confiant a écrit en langue créole.	☐	☐
4. Raphaël Confiant publie aujourd'hui un livre en français.	☐	☐

B. **Questions d'anticipation**
Imaginez des réponses possibles aux questions suivantes :

1. Est-ce que le français qu'on parle à la Martinique est le même que celui qu'on parle en France ?

2. Pour quelles raisons est-ce que Raphaël Confiant souhaite maintenant écrire en français ?

Pour comprendre le texte

I. Compréhension globale du texte

1. Regardez la forme du texte. Est-ce que ce texte est composé de paragraphes *ou* de questions et de réponses ?

2. Lisez maintenant les questions de cette interview. Quelle question correspond à chacune des paraphrases suivantes ?

   a. Le français que vous écrivez est très différent du français qu'on utilise en France.

   b. Est-ce que, aujourd'hui, certains habitants de la Martinique parlent seulement en français, comme à l'époque de la dernière guerre ?

   c. Pourquoi est-ce que vous n'écrivez plus en créole ?

3. Lisez la réponse à la première question, et répondez aux questions suivantes :

   a. Est-ce que Raphaël Confiant croit qu'il faut encore parler et écrire en créole ?

   b. Quelle langue est la plus jeune, le créole ou le français ?

   c. Si on veut toucher un grand nombre de lecteurs, doit-on écrire en créole ou en français ?

4. Lisez la réponse à la deuxième question, et répondez aux questions suivantes :

   a. Est-ce que la langue française reste importante pour les Martiniquais ?

   b. Pourquoi est-ce que, après la fin de l'esclavage, il était utile de parler français ?

5. Lisez la réponse à la troisième question, et répondez aux questions suivantes :

   a. Pourquoi est-ce que Raphaël Confiant préfère s'exprimer en français de la Martinique et non en français « de France » ?

   b. Quelle contribution est-ce que les mots et expressions martiniquais peuvent apporter à la langue française ?

II. Observations stylistiques

A. Certains mots utilisés aux Antilles sont différents des mots utilisés en France. Complétez le tableau.

Le français de la métropole	Le français de la Martinique
beauté	
	finissement
	caponner
échanger	
stérile	
milieu	

B. Comment est-ce qu'on a décrit dans l'introduction le français que Raphaël Confiant utilise dans son dernier roman ? Pouvez-vous maintenant expliquer pourquoi on l'a décrit de cette façon ?

Activités autour du texte

I. Par oral

1. *Discussion.* Maintenant que vous avez lu l'interview, discutez les réponses aux questions d'anticipation dans « Avant de lire » (II-B).

2. *Interview.* Vous êtes journaliste. Préparez trois questions que vous voulez poser à Raphaël Confiant. Jouez la scène avec un(e) camarade de classe. Posez-lui ces questions auxquelles il (elle) devra répondre. Ensuite changez de rôle.

3. *Echange d'idées.* Connaissez-vous d'autres auteurs du monde francophone qui écrivent en français ? Si oui, parlez d'une de leurs œuvres (roman, nouvelle, poème, chanson) avec vos camarades de classe.

II. Par écrit

1. *Rédaction.* Quel genre de livre aimez-vous lire ? Pourquoi ?

2. *Rédaction.* Avez-vous lu un livre écrit par un auteur étranger ? Si oui, faites-en le résumé.

NOTES

Raphaël Confiant : né en 1951 au Lorrain, en Martinique. Son premier roman en langue créole est publié en 1979. Son premier roman en français « Le Nègre et l'admiral » est publié en 1988 à Paris par la maison d'édition Grasset.

---

[2] **lectorat** (m) : nombre de lecteurs
[6] **renier :** renoncer, refuser
    zoulouter : *ici,* mal écrire ou parler la langue
    tournure (f) : forme particulière ou personnelle donnée à une phrase

Le sommet
de l'Arche

Ce sera elle la vraie vedette de la rencontre des Sept !
Un triomphe garanti pour la décoration française.

L'Arche de la Défense.

¹**Q**uand, le 15 juillet, 1989, à 10 heures précises, les sept chefs d'Etat et de gouvernement des pays les plus riches du monde graviront solennellement ce grand perron de marbre blanc, tournant ainsi le dos à la perspective royale qui part du Louvre et passe par l'Arc de triomphe, une page de l'histoire de Paris sera tournée. L'arche de la Défense sera enfin ouverte.

² En sortant des ascenseurs, au 35ᵉ étage, dans le toit de la future « arche de la Fraternité » — puisque, bicentenaire oblige, c'est là son futur nom de baptême — les chefs d'Etat et leurs ministres traverseront les patios de marbre blanc et de granit noir décorés par Jean-Pierre Raynaud pour aller s'installer dans la salle de conférences, un « écrin » spécialement conçu pour ce sommet des Sept. Chaque élément du décor du « toit », où s'installera prochainement la Fondation des droits de l'homme, ne servira qu'une seule fois : la fête finie, tables, chaises, fauteuils, tapis, tout sera renvoyé dans les entrepôts du Mobilier national. Y compris la vedette du sommet, l'immense table-monument de granit et de verre, au diamètre impressionnant (7,20 m), qui permet à 24 personnes de s'asseoir sans avoir à se serrer les coudes. Impossible de transporter une telle pièce par les ascenseurs de service. Il a donc fallu la monter par hélicoptère, en pièces détachées.

³ « Pour faire vivre ces lieux, on ne pouvait que sélectionner des objets exceptionnels », confie Frank Hammoutène, l'architecte responsable de la

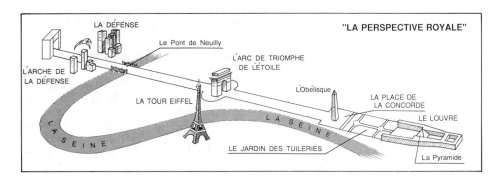

Du Louvre à l'Arche de la Défense en passant par l'Arc de Triomphe de l'Etoile.

« zone rouge », le périmètre où se retrouveront ministres et chefs d'Etat. Pour les grands de ce monde, on a donc emprunté aux musées sculptures et peintures — Rodin, Monet et Picasso seront à l'honneur dans ce décor austère. Afin de célébrer le génie français et la Révolution, on exposera même les originaux du serment du Jeu de paume et de la Déclaration des droits de l'homme. Sans doute pour inspirer les princes qui gouvernent le monde...

STRATEGIES DE LECTURE

Avant de lire

I. Compréhension du titre et du sous-titre
1. Quels sont les deux thèmes annoncés dans les deux phrases du sous-titre ?

2. Qui sont les « Sept » ? Lisez les premières lignes de l'article.

3. Pouvez-vous maintenant formuler une hypothèse sur le sens du mot « sommet » dans le titre ?

4. Où est l'Arche ? Lisez les trois dernières lignes du premier paragraphe.

5. Quel est l'autre nom proposé pour cette Arche ? Lisez les premières lignes du deuxième paragraphe.

6. Pouvez-vous donner un deuxième sens du mot « sommet » dans le titre ?

Pour comprendre le texte

I. Compréhension du premier thème de l'article
1. Quel bicentenaire est-ce qu'on fête en France le 14 juillet 1989 ?

2. Quel événement marque l'ouverture de l'Arche ?

3. La Défense est un quartier de l'ouest de Paris. Pourquoi est-ce que cette Arche y est située ? Quelle est sa position dans « la perspective royale qui part du Louvre et passe par l'Arc de triomphe » ?

II. A la recherche du deuxième thème annoncé dans le sous-titre

A. Lisez le deuxième paragraphe jusqu'à « ... Mobilier national ».

    1. Cherchez toutes les références à la décoration du « toit » et de la salle des conférences. Décrivez le décor.

    2. Est-ce que le décor conçu pour le sommet des Sept est permanent ?

    3. Qu'est-ce qu'on va en faire après la fin du sommet ?

B. Lisez le deuxième paragraphe à partir de « Y compris la vedette du sommet... ».

    1. Citez quatre caractéristiques de la table.

    2. Pourquoi est-ce que la table a une si grande importance ?

    3. Est-ce qu'il a été facile de la transporter dans cette salle ?

C. Lisez le troisième paragraphe.

    1. Classez les éléments du décor cités selon les catégories suivantes :

Chefs-d'œuvre de l'art français	Souvenirs de la Révolution

    2. Quelle est la différence entre ces éléments du décor et la table du deuxième paragraphe ?

    3. Quelles images de la France est-ce que l'ensemble du décor présente ?

III. Compréhension des événements

1. *L'inauguration de l'Arche.* Cherchez dans le texte les références aux chefs d'Etat et à leurs ministres. Quelle importance est-ce que leur présence donne à cette inauguration ?

2. *Le Bicentenaire de la Révolution française.* Cherchez dans le texte les références à la Révolution française. (N'oubliez pas le nouveau nom proposé pour l'Arche.) Quel est le rapport entre ces références et l'inauguration de l'Arche ?

IV. Observations stylistiques

1. *L'ordre des mots.* Dans le sous-titre, on trouve la phrase « Ce sera elle la vraie vedette ». L'ordre normal des mots est « Ce sera la vraie vedette ». Notez l'utilisation du pronom « elle » pour souligner l'importance de l'Arche.

2. Remarquez la construction de la première phrase du texte :
« Quand... blanc/tournant... triomphe/une page... tournée. »
La partie « tournant... triomphe » ajoute une nouvelle idée avant l'idée principale « une page... tournée ». Cette nouvelle idée est introduite par le participe présent « tournant ». On pourrait également introduire cette idée par la construction « et quand ils tournent... ».

Activités autour du texte

I. Par oral

1. *Discussion.* La Tour Eiffel, construite pour l'Exposition universelle de 1889, a fêté son centenaire en 1989. Croyez-vous que l'Arche deviendra un monument aussi célèbre que la Tour Eiffel et d'autres monuments de Paris ? Justifiez votre opinion.

2. *Echange d'idées.* Comparez un monument ancien et un monument nouveau dans votre pays. Est-ce que ces monuments attirent beaucoup de visiteurs étrangers ? Pourquoi ?

3. *Débat.* Les habitants de la Terre ont décidé d'aller construire un monument sur la lune. Quel type de monument choisir ?

II. Par écrit

1. *Publicité.* Pour vous, quel monument symbolise le mieux votre pays ? Rédigez une publicité destinée à présenter ce monument à des touristes français.

2. *Rédaction.* Aimez-vous visiter les monuments historiques et les musées ? Pourquoi ou pourquoi pas ?

NOTES

[3] **Le serment du Jeu de paume :** Le 20 juin 1789 les députés du Tiers Etat, qui se réunissent dans la salle du Jeu de paume, décident « de ne pas se séparer avant d'avoir donné une constitution à la France ».

La Déclaration des droits de l'homme : Votée par l'Assemblée constituante le 26 août 1789, cette déclaration sert de préface à la Constitution de 1791. Elle affirme le principe de l'égalité politique et sociale de tous les citoyens.

vedette (f) : personne importante qui attire l'attention ; *ici,* le nouveau monument

[1] **gravir :** monter

solennellement : *ici,* de façon officielle

perron (m) : les marches devant la porte principale d'un édifice important

tourner une page : terminer une page

[2] **nom** (m) **de baptême :** *ici,* nom officiel

écrin (m) : coffret servant à ranger des bijoux

conçu : participe passé de « concevoir » (cf. recevoir)

la fête finie : quand la fête sera finie

entrepôt (m) : bâtiment où on garde temporairement quelque chose

se serrer les coudes : quand il y a trop de gens assis autour d'une table, on doit occuper aussi peu de place que possible, alors on se serre les coudes

en pièces détachées : en parties séparées

Camembert et T.g.v.

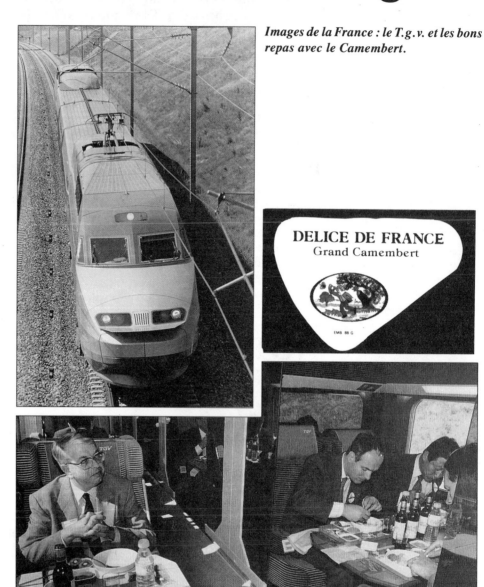

Images de la France : le T.g.v. et les bons repas avec le Camembert.

DELICE DE FRANCE
Grand Camembert

EMB 88 G

[1] Ils sont tous là. Aucun ne manque à la galerie des images d'Epinal : ni le couple de Français moyens regardant passer les coureurs du Tour de France, avec la baguette, les gauloises et le litre de rouge ; ni le Mont-Saint-Michel vu d'avion ; ni Notre-Dame de Paris au crépuscule. On n'a pas oublié les amoureux s'embrassant sur le pont des Arts ni Cheverny un jour de chasse à courre. Et, bien sûr, la noble figure du boulanger caressant une

miche de pain réjouira les âmes nobles. Sans omettre Yves Saint Laurent, désormais embaumé dans le rôle de symbole de la haute couture. Pour fêter la Révolution française (rassurons-nous, la guillotine est bien là), le très vénérable « National Geographic » offre à ses 11 millions d'abonnés, dans un numéro spécial bleu-blanc-rouge, une image ripolinée et on ne peut plus classique de la France. Pour un peu, on aurait parfumé la revue à l'ail. Et, quand il faut présenter la France moderne, voici l'incontournable T.g.v., la Défense (la tour Eiffel au loin) et les P.t.t. Même l'Office national du tourisme n'oserait plus en faire autant !

² Absents : les problèmes de société, même si l'islam est évoqué. On célèbre, ici, la Gaule éternelle. Dans ces temps moroses, voilà enfin un hymne à l'actualité heureuse. Les trains arrivent à l'heure et les cochons continuent de renifler les truffes. Ni chômage, ni violence, ni stress. Pas un mot sur les jeunes artistes ni sur les villes de province qui s'affranchissent fièrement du pouvoir de la capitale. Et, surprise, la France a rétréci : les Antilles, la Nouvelle-Calédonie, la Corse n'en font déjà plus partie. Ecoutez plutôt une chanson de Charles Trenet, ça vous fera le même effet.

J.-S.S. ∎

STRATEGIES DE LECTURE

Avant de lire

I. La France et vous

1. *Votre image de la France.* Ecrivez le nom de cinq choses qui, pour vous, représentent la France.

2. *Votre image des Français.* Si vous devez faire le portrait des Français, quelles sont les cinq caractéristiques les plus importantes de leur personnalité ou de leur comportement ?

II. Compréhension du titre

1. Qu'est-ce que le « National Geographic » ?

2. De quel pays est-ce que l'article du « National Geographic » parle ?

3. Qu'est-ce que le camembert ? Qu'est-ce que le T.g.v. (Train à grande vitesse) ? Pourquoi, à votre avis, est-ce qu'on a choisi ce fromage et ce train comme symboles de la France ?

III. Compréhension des images de la France

A. Avant de lire « Notes » ci-dessous, dressez une liste des images et des objets culturels de la France qui sont mentionnés dans le texte. Essayez de les classer selon les catégories présentées dans le tableau suivant :

Monuments	Evénements historiques	Nourriture et boissons	Personnes françaises	Autres symboles	Je ne sais pas

B. Comparez votre tableau avec celui de vos camarades de classe. Demandez-leur s'ils/si elles peuvent vous aider à classer les choses qui sont dans votre catégorie « Je ne sais pas ».

Pour comprendre le texte

I. Compréhension globale du texte

Après avoir lu le texte, faites les activités suivantes :

1. Cet article est divisé en deux parties. La phrase « Ils sont tous là », au début du texte, fait contraste avec l'expression « Absents ». Dans le contexte de cet article, expliquez en une phrase ce que « Ils » représentent. Donnez ensuite quelques exemples.

2. Expliquez en une phrase ce qui est « absent ». Donnez ensuite quelques exemples de choses « absentes ».

3. Donnez une paraphrase des expressions suivantes utilisées pour décrire l'image de la France donnée dans le « National Geographic ». Donnez une paraphrase de ces expressions :

   a. « offre une image ripolinée et on ne peut plus classique de la France »

   b. « Pour un peu, on aurait parfumé la revue à l'ail »

   c. « même l'Office national du tourisme n'oserait plus en faire autant »

   d. « Ecoutez plutôt une chanson de Charles Trenet, ça vous fera le même effet »

4. Quelle semble être l'opinion du journaliste de l'image de la France présentée par la revue américaine ? Justifiez votre réponse.

II. Observations stylistiques

Expressions de négation. Retrouvez dans le texte les expressions de négation construites à partir des structures suivantes :

Aucun ne... ni... ni...

Ni..., ni..., ni....

Pas un mot sur..., ni sur...

Quel est l'objectif général du journaliste en utilisant toutes ces expressions de négation ?

Activités autour du texte

I. Par oral

1. *Echange d'idées.* Quelles informations nouvelles sur la France avez-vous découvertes en lisant l'article ?

2. *Discussion.* Voulez-vous modifier maintenant vos réponses données dans « Avant de lire : I. La France et vous » ? Si oui, lesquelles ? Pourquoi ? Sinon, pourquoi pas ?

    Comparez vos réponses et celles de vos camarades de classe. Discutez ensemble vos choix.

3. *Débat.* Faites une liste des clichés racontés sur votre pays. Pourquoi et comment sont-ils nés ?

II. Par écrit

1. *Lettre.* Vous écrivez à un(e) ami(e) français(e) pour lui parler des problèmes de votre pays dont on parle rarement à l'étranger.

2. *Rédaction.* A votre avis, quelle image de la France est-ce que le journaliste aurait voulu que le « National Geographic » présente à ses lecteurs ? Pourquoi ?

NOTES

[1] **une image d'Epinal :** *ici,* image traditionnelle de la France
   le Tour de France : une course cycliste célèbre
   les gauloises (f pl) : marque française de cigarettes
   le Mont-Saint-Michel : abbaye fondée en 966 sur la côte de la Normandie
   Notre-Dame de Paris : cathédrale gothique construite de 1163 à 1245
   le pont des Arts : pont qui traverse la Seine à Paris
   Cheverny : château de la vallée de la Loire construit au XVIIe siècle
   la chasse à courre : une chasse traditionnelle où les chasseurs sont à cheval
   bleu-blanc-rouge : couleurs du drapeau français (appelé le tricolore)
   une image ripolinée : *ici,* image de la France très traditionnelle, un cliché
   l'ail (m) : plante qui a une forte odeur utilisée en cuisine française
   la Défense : quartier des affaires, à l'ouest de Paris, où il y a des immeubles très modernes

les P.t.t. : nom traditionnel des Postes et Télécommunications

[2] **l'islam** (m): beaucoup de travailleurs immigrés et leurs familles sont musulmans

la Gaule : ancien nom de la France, à l'époque des Romains

les truffes (f pl) : plante de la famille des champignons. Les cochons aident les fermiers à trouver ces spécialités gastronomiques qui poussent sous terre.

la capitale : Paris

les Antilles et la Nouvelle-Calédonie : territoires français situés hors de la France

la Corse : île française de la Méditerranée

Charles Trenet (né en 1913) : chanteur français de chansons douces et nostalgiques

---

[1] **les coureurs** (du Tour de France) : les cyclistes

réjouir : faire plaisir à

miche (f) : pain rond assez gros

on ne peut plus classique : extrêmement classique

pour un peu, on aurait parfumé... : c'est tout juste si on n'a pas parfumé

incontournable : inévitable

[2] **s'affranchir :** se libérer

rétrécir : devenir plus petit

ATTITUDES
ET COMPORTEMENTS

SONDAGES : CE QUI FAIT PEUR AUX FRANÇAIS

Apprenons à lire un sondage et à faire une enquête

Dans les journaux et les magazines français, on publie très souvent des sondages d'opinion parce que les Français aiment lire les sondages pour s'informer de l'évolution des attitudes et des comportements dans leur pays. Par conséquent, les étrangers qui s'intéressent à la France doivent savoir lire et comprendre les sondages.

La sécurité, les risques et les dangers nous concernent tous. Dans les textes suivants, les attitudes des Français sont présentées à partir de sondages.

Après avoir lu le texte d'introduction, « Ce qui fait peur aux Français », vous allez apprendre à analyser les résultats de plusieurs sondages et à en tirer les conclusions. Ensuite vous allez faire une enquête sur les mêmes thèmes. Ceci vous permettra de comparer les attitudes des Français face aux dangers et les attitudes observées dans votre propre enquête.

Ce qui fait peur aux Français

De la bombe à la cigarette, savent-ils à quoi ils s'exposent ? Quelles sont leurs phobies ? Et leurs négligences ? Pour la première fois, des experts du risque ont mené l'enquête. Voici leurs résultats.

Catastrophes naturelles et risques nés de l'homme : le danger est partout. Foudre, cigarettes, santé, centrale nucléaire, pollution.

1 Jamais nous n'avons vécu dans une société si sûre. L'espérance de vie, en France, est passée, depuis le début du siècle, de 50 à 74 ans. Pourtant, notre appétit de sécurité ne cesse de croître. Et nos peurs ont changé d'objet. De nouveaux risques sont apparus, diversifiés, infinis, liés aux technologies modernes. On ne craint plus la peste ni la famine en France. Mais le nucléaire, la guerre atomique, la pollution : des risques nés de l'homme. Des risques latents, d'autant plus effrayants qu'on ne sait guère les mesurer.

2 Depuis le début des années 70, avec l'essor de l'écologie et des groupements de consommateurs, les Français demandent des comptes à l'Etat et aux industriels : ces dangers valent-ils la peine d'être courus ? Le monde entier se mobilise. L'Association des grandes métropoles vient

de créer un institut mondial de prévention des risques majeurs. En France, les ministres de l'Intérieur et de l'Environnement, ont fait voter une loi sur la sécurité civile. Une loi qui renforce, coordonne les réglementations existantes, et prévoit l'obligation d'informer les populations vivant sur des sites exposés à des dangers potentiels. Mais jusqu'où doit aller l'Etat dans la prévention ou l'élimination du risque ?

3 Les Français sont terrifiés par la chimie, par la bombe. Mais, chaque matin, des millions d'entre eux prennent le volant en oubliant qu'ils prennent, en même temps, le risque de mourir : très concrètement, cette fois. Dangers réels, dangers imaginaires. Risques probables ou improbables, catastrophiques ou mineurs, collectifs ou individuels... Comment les Français se débrouillent-ils avec ce monde, qu'ils dominent de mieux en mieux, mais qui leur échappe de plus en plus ? De quoi ont-ils peur ? Jusqu'à quel point se sentent-ils protégés par les mesures de sécurité en place ? Ont-ils la moindre idée de l'échelle réelle des périls auxquels ils s'exposent, volontairement ou involontairement ?

4 Pour la première fois en France, des organismes publics — Prévention routière, ministère de l'Environnement, Commissariat à l'énergie atomique, E.d.f., entre autres gestionnaires du risque — se sont associés pour entreprendre une vaste recherche sur la perception des dangers. Ils ont demandé à l'Ifop de réaliser un certain nombre de sondages sur l'attitude des Français face à ces risques, dont les causes sont, essentiellement, naturelles ou technologiques.

JACQUELINE REMY ■

La route n'est pas la plus meurtrière...

1 **Q**ui sait combien de personnes meurent de froid, de leucémie ou d'un cancer du poumon ? Qui sait **seulement** qu'on enregistre, chaque année en France, 550 000 décès pour une population de 55 millions d'habitants ?

2 Pour mesurer l'écart entre le risque réel et la perception qu'en ont les Français, les enquêteurs de l'Ifop ont donc posé une question plus floue : « A votre avis, y a-t-il très peu, peu, pas mal, beaucoup ou énormément de personnes qui meurent de... »

3 En tête : les accidents de la route. Selon les chiffres officiels, ils n'arrivent, en réalité, qu'en septième position. Pourquoi cette surestimation ? Spectaculaire et quotidien, le risque routier est particulièrement menaçant. Il pèse sur tout le monde : qui n'est jamais monté en voiture ? A se demander pourquoi, si conscients du danger, les Français ne s'empressent pas d'observer le code de la route.

4 Surestimés aussi, les accidents du travail, la leucémie, les homicides et le sida. Ces causes de

SONDAGE I

Causes de mortalité	Estimation des Français	Nombre de décès en 1984 (Inserm)	Classement réel
Accident (m)* de la route	1	11 030	7
Maladie (f) de cœur	2	117 104	1
Vieillesse (f)	3	10 250	9
Alcoolisme (m)	4	3 321	19
Cancer (m) du poumon	5	18 853	3
Cirrhose (f) du foie	6	12 961	4
Maladie (f) cérébro-vasculaire	7	61 104	2
Cancer du gros intestin	8	10 334	8
Cancer de l'estomac	9	8 055	11
Cause (f) accidentelle	10	12 545	5
Leucémie (f)	11	4 774	18
Suicide (m)	12	12 017	6
Cancer du sein	13	9 269	10
Accident du travail (trajet compris)	14	1 844	21
Homicide (m)	15	713	24
Cancer de la prostate	16	7 484	13
Accident domestique	17	6 000	16
Diabète (m)	18	7 233	15
Noyade (f)	19	864	23
Asthme (m) et bronchite (f)	20	7 734	12
Sida (m)	21	177	26
Anomalie congénitale (f)	22	2 200	20
Accident de sport ou de loisir	23	5 000	17
Pneumonie (f)	24	7 334	14
Tuberculose (f)	25	1 164	22
Froid (m)	26	102	27
Grippe (f)	27	629	25
Tétanos (m)	28	63	28
Foudre (f)	29	7	30
Piqûres (f) d'insectes	30	17	29

*Pour vous aider à parler du tableau analytique, nous indiquons le genre des substantifs.

mortalité ont au moins un point commun : on en parle abondamment dans les médias. Elles ont parfois fait l'objet de campagnes ou de débats. Elles sont aussi ressenties comme particulièrement intolérables. Les homicides renvoient au sentiment d'insécurité. La leucémie est insupportable, surtout lorsqu'elle atteint les enfants. Les accidents du travail sont historiquement considérés comme injustes. Et le sida n'a pas fini d'effrayer.

... mais une majorité le croit

[1] Pourquoi, dans l'esprit des Français, la route vient-elle en tête des causes de mortalité ?

Alors qu'avec 11 000 tués par an elle n'est que septième, et ne représente — en statistique brute — que 2 % des 550 000 décès. Une écrasante surestimation du risque automobile comparé à celui des suicides, des cancers et des infarctus.

[2] Pas si simple. Aux 11 000 morts de la route s'ajoutent 260 000 blessés, dont certains demeurent cloués à vie dans leur fauteuil roulant. Surtout, les accidents de la circulation représentent, avec 44 % des décès des 15-20 ans et 42 % de ceux des 20-25 ans, la première cause de mortalité des jeunes. Ce sont ceux-ci qui paient le plus lourd tribut à la route : ils ont trois fois et demie plus de risques de s'y tuer que les adultes. Un piéton tué sur 7 (1 640 morts par an) est un

enfant de moins de 15 ans, et 1 conducteur de cyclomoteur sur 4 décédés a moins de 18 ans. Si la sécurité ne progresse pas, 1 enfant sur 10 sera tué ou blessé avant d'atteindre sa majorité.

3 En outre, l'accident de la circulation peut frapper chacun d'entre nous, dans sa vie quotidienne : à pied, sur deux-roues ou en voiture, en ville comme sur la route, en semaine comme en vacances : 11 % des personnes interrogées déclarent que l'un de leurs proches a été victime d'un accident il y a moins de deux ans. L'appréhension du risque routier se nourrit aussi d'images : des accidents dont sont témoins des dizaines de passants et d'automobilistes. Les campagnes sur la sécurité routière, les débats publics sur l'alcool au volant ou sur la limitation de vitesse sont largement relayés par les médias. En 1973, la France dénombre 17 000 morts. Depuis, grâce à la limitation de vitesse et au port de la ceinture de sécurité, le nombre de morts sur la route a diminué de 34 %. Mais il stagne aujourd'hui à 11 000.

4 Pourquoi les Français, conscients du risque, ne se plient-ils donc pas davantage aux règles de sécurité ? « Les grands rouleurs, les jeunes conducteurs, les propriétaires de voitures puissantes minimisent le danger de la route par un réflexe de défense ; ce sont eux, cependant, qui produisent le plus d'accidents », fait remarquer Yvon Chich, de l'Institut national de recherches sur les transports et leur sécurité. Pierre Denizet, directeur de la Sécurité routière, ne croit guère à l'autodiscipline : « Aucun pays au monde n'a réussi à faire baisser le nombre de morts sur la route sans une police plus nombreuse et plus sévère, sans une justice plus rapide et plus répressive. » Les Français ont peur. Mais ils ne lèvent pas le pied. L'accident ? C'est pour les autres…

De drogue à vaccin : le palmarès du risque

1 Pour réaliser le tableau analytique présenté ci-contre, les experts qui ont participé à cette enquête ont proposé une liste de produits, de techniques et d'activités « susceptibles de porter atteinte à l'intégrité physique », et demandé aux personnes interrogées si elles les jugeaient « pas du tout dangereux, pas dangereux, moyennement dangereux, bien dangereux ou très dangereux ».

2 Douze de ces sources de risque seulement font peur à une majorité de Français. Unanimité sur la drogue et la bombe atomique, perçues comme les dangers par excellence, alors qu'elles font peser des risques tout à fait dissemblables. La drogue et ses dealers sont au coin de la rue : on peut les éviter. La bombe est un danger latent face auquel nous sommes individuellement impuissants. Consensus, aussi, sur les déchets nucléaires, les armes à feu, l'alcool, le tabac, les déchets chimiques, les centrales nucléaires : « dangereux ». Les effets sont parfois jugés plus inquiétants que leurs causes : on craint plus les déchets du nucléaire que les centrales, les déchets chimiques que l'industrie du même nom. Là encore, certains de ces risques sont maîtrisables par l'individu, les autres non. Avoir conscience d'un danger n'implique d'ailleurs pas de s'en détourner. A preuve : le tabac. Trois Français sur quatre sont convaincus de ses méfaits. Ce qui n'empêche pas 41 % des « sondés » de déclarer qu'ils fument plus de cinq cigarettes par jour, pour les trois quarts.

3 Pas si facile d'évaluer la dangerosité d'un produit ou d'une technique. Mais, dans l'incroyable choix qui leur était présenté, les personnes interrogées sont parvenues à reconstruire une logique : dans chaque grande famille de risques, le classement dressé à partir de leurs réponses coïncide, en gros, avec celui des experts. Par exemple : la moto est effectivement

SONDAGE II

Considérez-vous les produits, techniques et activités suivants comme dangereux ?

		Oui			**Oui**
1.	Drogue (f)	92 %	20.	Poids (m) lourds	34 %
2.	Bombe (f) atomique	91	21.	Anesthésie (f)	28
3.	Déchets (m) nucléaires	84	22.	Avortement (m)	23
4.	Armes (f) à feu	84	23.	Jouets (m) électriques	23
5.	Alcool (m)	73	24.	Barrages (m) hydroélectriques	22
6.	Tabac (m)	72	25.	Antibiotiques (m)	21
7.	Déchets (m) chimiques	68	26.	Oranges (f) traitées	19
8.	Centrales (f) nucléaires	63	27.	Rayon laser (m)	17
9.	Moto (f)	61	28.	Travail (m) sur écran	14
10.	Voiture (f)	52	29.	Avion (m)	14
11.	Somnifères (m)	52	30.	Autocuiseur (m)	13
12.	Industrie (f) chimique	52	31.	Pilule (f)	12
13.	Cyclomoteur (m)	48	32.	Aspirine (m)	12
14.	Gaz (m) d'échappement	47	33.	Radiographie (f)	11
15.	Manipulations (f) génétiques	45	34.	Bicyclette (f)	10
16.	Prise (f) de courant	39	35.	Conserves (f)	10
17.	Eau (f) de Javel	38	36.	Four (m) à micro-ondes	6
18.	Engrais (m)	37	37.	Train (m)	5
19.	Plomb (m) dans l'essence	34	38.	Vaccin (m)	4

plus dangereuse que la voiture, qui est elle-même plus dangereuse que le cyclomoteur, puis, dans l'ordre, les poids lourds, l'avion, la bicyclette, le train.

[4] Certains risques défient les estimations, en particulier dans le domaine médical. En gros, un Français sur quatre juge l'anesthésie et les antibiotiques dangereux. Certes, dans les deux cas, il y a risque. Mais sans commune mesure avec ceux qu'ils permettent d'éviter.

Et la sécurité ?
Pas si rassurante

[1] Les enquêteurs de l'Ifop ont posé cette question : « Avez-vous confiance dans l'organisation de la sécurité pour les domaines suivants... » Les personnes interrogées pouvaient répondre « pas du tout, pas tellement, peut-être, oui, tout à fait ». L'analyse des réponses permet d'établir un hit-parade des mesures de sécurité.

[2] Les Français sont plutôt sceptiques. La majorité d'entre eux n'ont pas confiance. Seule l'organisation de la sécurité dans le train, l'avion ou en cas d'incendies de forêts trouve grâce à leurs yeux. En revanche, le transport des matières dangereuses et l'élimination ou le stockage des déchets chimiques ou nucléaires ne leur inspirent que méfiance.

[3] Les experts du risque adopteraient sûrement un classement différent. Quoi qu'il en soit, les Français ne se sentent pas correctement protégés. Question d'information ? Peut-être.

SONDAGE III

Avez-vous confiance dans l'organisation de la sécurité pour les domaines suivants ?

	Oui		Oui
Train (m)	61 %	Transport de matières dangereuses par bateau	33 %
Avion (m)	58	Tremblements (m) de terre	28
Incendies (m) de forêts	56	Industrie chimique	28
Avalanches (f)	48	Mines (f) de charbon	27
Barrages (m) hydroélectriques	48	Transport de matières dangereuses par route	20
Industrie (f) nucléaire	39		
Route (f)	37	Elimination (f) et stockage (m) des déchets nucléaires	12
Raffineries (f) de pétrole	36		
Transport (m) de matières dangereuses par train	35	Elimination et stockage des déchets chimiques	11

EXPLICATIONS

Les mots

Ce qui fait peur aux Français

phobie (f) : peur, angoisse

[1] **ne cesser de croître :** continuer d'augmenter
peste (f) : très grave maladie infectieuse
guère : pas bien

[2] **essor** (m) : grand développement
demander des comptes à : demander des explications à
métropole (f) : ville principale
prévoir : envisager

[3] **se débrouiller** (fam) : s'arranger
en place : *ici,* qui existent
échelle (f) : *ici,* dimension

[4] **E.d.f. :** Electricité de France
gestionnaire (m) : administrateur
Ifop : Institut français d'opinion publique

La route n'est pas la plus meurtrière...

meurtrière : qui cause la mort de beaucoup de gens

[1] **leucémie** (f) : maladie du sang
décès (m) : mort

[2] **écart** (m) : différence
plus floue : moins précise

[3] **en tête :** en première position
surestimation (f) (cf. surestimer) : trop grande estimation

s'empresser de : se dépêcher de ; *ici,* mettre de l'enthousiasme à
code (m) **de la route :** règlements que les conducteurs doivent respecter

[4] **sida** (m) : Syndrome Immuno-Déficitaire Acquis ; maladie qui détruit les résistances du corps aux infections
ressentir : *ici,* considérer
renvoyer à : être associé à
atteindre : *ici,* toucher

... Mais une majorité le croit

[1] **écrasante :** *ici*, immense
infarctus (m) : maladie du cœur

[2] **cloués à vie :** *ici*, pris pour toujours
tribut (m) : contribution
cyclomoteur (m) : vélo avec un petit moteur
décédés (m) (cf. décès [m]) : personnes qui meurent
atteindre sa majorité : arrive à l'âge de 18 ans

[3] **en outre :** en plus de cela
deux-roues (m) : véhicule à deux roues (cyclomoteur, moto, etc.)

routier (cf. route [f]) : qui a lieu sur la route
se nourrir de : *ici*, devenir plus important à cause de
être relayé : être diffusé, répandu
dénombrer : compter
port (m) (cf. porter) : le fait de mettre
stagner : rester inchangé

[4] **se plier aux règles :** adopter les règles
grands rouleurs (m) (cf. rouler) : ceux qui conduisent beaucoup
lever le pied (de l'accélérateur) : ralentir

Sondage I

cirrhose (f) **du foie :** maladie du foie provoquée par une consommation excessive d'alcool
noyade (f) (cf. se noyer) : mourir par immersion dans de l'eau
foudre (f) : éclair (pendant un orage)

De drogue à vaccin

palmarès (m) : *ici*, inventaire, liste

[1] **porter atteinte à :** être nuisible à

[2] **dissemblable :** différent
dealers : *mot anglais*, ceux qui vendent de la drogue
déchets (m pl) : résidu
centrale (f) **nucléaire :** usine nucléaire
maîtrisable : qui peut être maîtrisé (dominé)

s'en détourner : l'éviter
à preuve : pour prouver cela, par exemple
méfaits (m) : actions mauvaises ; *contr.*, bienfaits (m)
sondés (m) : personnes qui répondent aux questions du sondage

[3] **poids lourds** (m) : camions

Sondage II

somnifère (m) : comprimé qui incite à dormir
prise (f) **de courant :** dispositif de contact électrique
eau (f) **de Javel :** nom d'un désinfectant
engrais (m) : substance pour fertiliser le sol

travail (m) **sur écran :** travail devant un écran d'ordinateur
autocuiseur (m) : appareil pour cuire les aliments sous pression
pilule (f) : moyen de contraception

Et la sécurité ?

[1] **hit-parade** (m) : *ici*, classement

[2] **trouver grâce à leurs yeux :** *ici*, leur donner satisfaction

en revanche : par contre
méfiance (f) : manque de confiance

[3] **quoi qu'il en soit :** malgré cela

Sondage III

incendie (m) : feu

INTERACTION AVEC LE TEXTE

Avant de lire   Le texte « Ce qui fait peur aux Français » sert à introduire et présenter les résultats de l'enquête.

Compréhension du titre et du texte de présentation
Lisez le titre et le petit texte de présentation qui l'accompagne. Puis répondez aux questions suivantes :

1. Qui a fait cette enquête ?

2. Quels sont les deux dangers mentionnés ?

3. Trouvez dans le petit texte de présentation une question qui signifie :
   a. « Est-ce que les Français sont conscients des dangers qu'ils courent ? »
   b. Qu'est-ce qui fait très peur aux Français ?
   c. « Quelles sources de dangers est-ce que les Français oublient ? »

Les idées essentielles   Après avoir lu le texte « Ce qui fait peur aux Français », complétez les phrases suivantes :

1. La vie en France est aujourd'hui plus sûre car on vit plus longtemps mais les Français veulent de plus en plus de _____.

2. _____ et _____ sont deux exemples de nouveaux risques.

3. _____ et _____ sont deux exemples d'anciens risques.

4. _____ est un organisme qui essaie de protéger les habitants contre les risques possibles dans les grandes villes du monde.

5. _____ et _____ font très peur aux Français.

6. Les Français oublient souvent qu'ils sont en danger quand ils _____.

7. Les dangers peuvent être réels ou _____, collectifs ou _____.

8. Les causes de risques peuvent être naturelles ou _____.

Les trois sondages et leur commentaire

I. Les questions posées et les réponses données
1. Regardez le tableau analytique de chaque sondage. Quel est le sujet du premier sondage ? du deuxième sondage ? et du troisième sondage ?

2. Les réponses données aux questions peuvent être simplement « oui » ou « non » ou peuvent être plus précises. Par exemple, le premier sondage est bâti à partir de la question : « A votre avis, y a-t-il *très peu, peu, pas mal, beaucoup* ou *énormément* de personnes qui meurent de... »

a. Retrouvez dans le premier paragraphe du commentaire du deuxième sondage la précision qui demande aux personnes interrogées d'indiquer les différents degrés de danger.

b. Retrouvez dans le premier paragraphe du commentaire du troisième sondage la précision qui demande aux personnes interrogées d'indiquer leur degré de confiance dans l'organisation de la sécurité.

II. Le classement des réponses en tableaux analytiques

La façon la plus fréquente de présenter les réponses d'un sondage est de les classer en pourcentage, par ordre décroissant, dans un tableau analytique.

1. Dans le deuxième sondage, quelle est la position dans le classement et le pourcentage de « oui » pour les dangers suivants :

   a. drogue

   b. tabac

   c. voiture

   d. avion

   e. train

2. Dans le troisième sondage, quels sont les trois domaines où les Français ont le plus confiance dans l'organisation de la sécurité ? Quels sont les trois domaines où ils ont le moins confiance ?

III. Le commentaire des sondages

C'est à partir du tableau analytique que la journaliste va commenter les résultats du sondage. Lisez les commentaires qui accompagnent les sondages avant de faire les activités suivantes.

A. Référence directe aux statistiques du tableau analytique

1. Regardez le tableau analytique du deuxième sondage et indiquez ce qui permet à la journaliste de faire les remarques suivantes :

   a. « Douze de ces sources de risque seulement font peur à une majorité de Français. »

   b. « Unanimité sur la drogue et la bombe atomique, perçues comme les dangers par excellence. »

   c. « On craint plus les déchets du nucléaire que les centrales, les déchets chimiques que l'industrie du même nom. »

   d. « Le classement... de leurs réponses coïncide, en gros, avec celui des experts. La moto est effectivement plus dangereuse que la voiture, qui est elle-même plus dangereuse que le cyclomoteur, puis, dans l'ordre, les poids lourds, l'avion, la bicyclette, le train. »

   e. « En gros, un Français sur quatre juge l'anesthésie et les antibiotiques dangereux. »

2. Le tableau analytique du premier sondage présente deux classements : les causes de mortalité selon les Français et les causes réelles de mortalité. Regardez ce tableau et indiquez ce qui permet à la journaliste de faire les remarques suivantes :

a. « En tête : les accidents de la route. Selon les chiffres officiels, ils n'arrivent, en réalité, qu'en septième position. »

b. « Surestimés aussi, les accidents du travail, la leucémie, les homicides et le sida. »

B. Explication et interprétation des statistiques

1. Dans le commentaire du premier sondage, quelle est l'explication fournie par la journaliste pour justifier :

   a. la position différente des accidents de la route aux deux classements

   b. la surestimation des accidents du travail, de la leucémie, des homicides et du sida

2. Dans le commentaire du deuxième sondage, quelle est l'explication fournie par la journaliste pour justifier qu'« on craint plus les déchets du nucléaire que les centrales, les déchets chimiques que l'industrie du même nom » ?

3. Dans le commentaire du troisième sondage, quelle est l'explication fournie par la journaliste pour justifier que « les Français sont plutôt sceptiques » ?

IV. Quelques expressions de statistique

A. Dans « ... mais une majorité le croit » (p. 39), la journaliste fait souvent référence à des statistiques, à des informations quantifiées. Retrouvez dans ce texte les phrases ou les expressions correspondant à ce qui est souligné dans les phrases suivantes :

> **Exemple :** Des milliers de Français sont tués chaque année.
> Onze mille Français sont tués par an.

1. La route est loin d'être en tête des causes de mortalité.

2. Le pourcentage de mortalité représenté par les accidents est vraiment très petit.

3. Il y a beaucoup de morts et aussi beaucoup de blessés.

4. Les accidents de la circulation sont responsables de la mort de presque la moitié des adolescents.

5. La preuve que les accidents de la circulation constituent la première cause de la mortalité des jeunes, c'est que 44 % des 15–20 ans meurent sur la route.

6. Les jeunes ont beaucoup plus de chance de se tuer sur la route que les adultes.

7. Le quart des conducteurs de cyclomoteur qui meurent sont jeunes.

8. Une partie des personnes à qui on a posé cette question dit qu'un proche a été victime d'un accident.

9. En France il y a eu 17 000 morts sur la route en 1973.

10. Il y a beaucoup moins de morts sur la route.

B. Dans un compte-rendu du sondage que vous ferez vous-même sur les risques et les dangers (ou en commentant un autre sondage), utilisez aussi souvent que possible le vocabulaire suivant :

Vocabulaire pour commenter des sondages

(deux)... sur (sept)...
(10 pour cent) des...
(11 000) par an...
aux (11 000) morts) s'ajoutent (260 000 blessés)
... ont moins/plus de (20) ans
la (première, deuxième) cause de...
(environ) le quart/le tiers/la moitié des personnes interrogées
    affirment que...
25 % des personnes interrogées déclarent que...

être en première position/venir en tête
arriver en dernière position

être deuxième (sur la liste de classement)
n'être que troisième (au classement)

(ceci) ne représente que...
représenter... %
un pourcentage élevé
une petit/faible pourcentage
le nombre de... a augmenté/diminué/baissé (de... %)
un nombre (assez) impressionnant/considérable
la majorité/la minorité des...

(le danger réel) comparé à/au/à la/aux...
en comparaison avec...
par rapport à/au/à la/aux...

avoir plus de/moins de... que...
avoir deux fois plus de...
avoir deux fois et demie plus de...

analyser ; souligner ; noter
signifier ; exprimer ; résumer
constater ; déclarer ; estimer
tirer les conclusions de quelque chose
il s'agit de... [Notez : expression impersonnelle]
il est possible de (dire, affirmer) que...
il est intéressant de (remarquer) que...
il est évident (clair, très net) que...
il va sans dire que...
cela explique pourquoi...
on peut se demander pourquoi...
tout indique que...
tout se passe comme si...
au sujet de/du/de la/des...
dans le domaine de/du/de la/des...
par exemple...
de toute façon/en tout cas
après tout/tout compte fait

A vous de faire votre enquête

1. En utilisant les trois sujets de l'enquête ci-dessus, vous allez faire une enquête pour savoir ce qui fait peur à vos camarades de classe.

   Si possible, posez aussi les mêmes questions à des ami(e)s et à des membres de votre famille pour obtenir ainsi des réponses plus diversifiées.

2. Après avoir classé dans un tableau analytique les réponses données à chaque question, vous allez les analyser et les commenter.

3. Enfin vous allez comparer les résultats de votre enquête et ceux de l'enquête de L'Express. Bien que le nombre et la diversité des personnes interrogées pendant votre enquête ne soient pas les mêmes que pour l'enquête française, quelles conclusions pouvez-vous tirer de cette comparaison ? Si vous constatez des attitudes différentes entre les Français et les gens de votre enquête, essayez de les expliquer.

Harlem Désir : enquête sur un franc–tireur

C'est la nouvelle étoile de la politique et des médias. De gauche, il ne s'en cache pas, mais hors de l'orbite des partis. Le porte-parole des « potes » deviendrait-il un leader tout court ?

Harlem Désir, co-fondateur de SOS-Racisme.

[1] A 29 ans, Harlem Désir, fils d'une mère alsacienne et d'un père antillais, cofondateur de SOS-Racisme, pourfendeur de toutes les intolérances, champion des médias et globe-trotter des droits de l'homme, soudain, « explose ».

[2] Partout, on se l'arrache. La presse américaine ausculte le « phénomène ». Jean-Pierre Elkabbach lui offre une émission sur Europe 1. Désir bondit de télé en télé. L'éditeur Calmann-Lévy s'apprête à sortir en librairie un nouveau livre des « potes » (« Les Messagers de l'égalité »). Au siège de SOS-Racisme — un petit appartement du Xe arrondissement de Paris — le courrier s'entasse depuis l'étonnante prestation réussie le 19 août, à « L'Heure de vérité », par le « président » Désir.

[3] Ce soir-là, les Français en vacances découvrent, stupéfaits, un jeune homme qui sait parler, qui « parle vrai », qui ne plaide pas — ou si peu — pour sa boutique, et qui, au lieu de les accuser (« Vous êtes racistes ! »), s'adresse au

meilleur d'eux-mêmes. Avec 70 % de téléspectateurs satisfaits, Désir, contre toute attente, établit le nouveau record de l'émission.

4 En deux heures, le cercle de famille de SOS s'est élargi. Oublié, le militant qui a fait ses classes aux lisières du trotskisme. Effacées, les affinités électives avec le PS. Désir n'est plus le simple porte-parole des 15-20 ans. L'espace d'une soirée, la France — lasse à nouveau de ses « politiques » et de leurs petites querelles — se sent plus conviviale, plus généreuse. Plus intelligente, peut-être ?

5 Harlem Désir fait, aujourd'hui, son nid à l'endroit exact qu'ont abandonné, peu ou prou et les uns après les autres, un Michel Rocard, un François Léotard, une Simone Veil, une Michèle Barzach. Tous occupés de la politique, ces leaders-là parlent stratégie, tactique ou, pis encore, partis. Hier, ils savaient, comme Désir, marier l'idéal et le concret. L'idéal : Harlem en appelle aux grandes traditions de générosité et d'ouverture du peuple français. Le concret : combattre le racisme, c'est, dit-il, commencer par réparer les ascenseurs dans les tours sans

Manifestation contre le racisme : « Touche pas à mon pote ».

âme et dans les HLM. Sûrement pas se limiter à des imprécations moralisantes.

6 « Harlem Désir a remonté les Français dans l'opinion qu'ils avaient d'eux-mêmes, assure Jacques Thibaud, directeur de la revue « Esprit ». Il fait une sorte de pari optimiste sur ses concitoyens. » Ce qui est sûr : Harlem, qui avait mûrement préparé son passage à « L'Heure de vérité », a su habilement tenir, depuis ce soir-là, entre droite et gauche, la balance égale. Il est en train de devenir, naturellement, le porte-parole d'une génération. Il ne donne pas l'impression d'être porteur de valeurs ou de solutions à son profit.

7 Le voilà, le vendredi 25 septembre, entre 11 et 13 heures, dans le T.g.v. Lyon-Paris. Il est accoudé au bar, devant un jus d'orange, et répond gentiment aux questions de L'Express. En quelques minutes, on a fait cercle autour de lui. Des jeunes, encore des jeunes, qui boivent ses paroles et lui diront au revoir avec un mélange de timidité et de grande fierté. La veille, à l'aller, toujours dans le T.g.v. — en route pour la cité des Gaules, où Harlem part demander à Peter Gabriel, en tournée en France, de venir chanter gratuitement pour SOS — les mêmes scènes amicales. On lui serre la main ; on lui dit « bonne chance » ; une jeune fille, qui lisait les « Mémoires de guerre » du général de Gaulle, cède carrément à l'emphase : « Je ne vous connaissais pas, mais à la télévision vous avez été super ! On aura besoin de vous dans trente ans ! »

8 Ce jour-là, Désir, passe en revue son emploi du temps. Plus chargé que celui d'un ministre : à sa descente du train, il filera déjeuner avec un conseiller de l'ambassade des Etats-Unis à Paris. Au menu : la préparation d'un grand concert tricontinental transmis par satellite depuis Dakar, Paris et New York, le jour même de l'anniversaire de l'assassinat de Martin Luther King. Puis, Harlem doit participer, sur Antenne 2, à une émission de Christophe Dechavanne. Séance de photos. Ensuite, direction La Plaine-Saint-Denis, où il a promis à son copain Jean-Luc Lahaye, qui démarre sur TF 1, de venir le soutenir. Le lendemain, à Bruxelles, Harlem discute avec des potes de tous les pays de l'organisation du congrès international de SOS. Le lendemain, on le retrouve en Wallonie, à La Louvière, où il vient, à la demande de SOS-Racisme Belgique, tirer les leçons d'une expé-

rience de conseil consultatif des communautés immigrées. Entre-temps, il a donné son feu vert à un communiqué stigmatisant le verdict, trop clément à ses yeux, du tribunal d'Aix-en-Provence, à l'encontre du CRS meurtrier d'un jeune beur. Et puis, pendant tout ce temps, Harlem a continué de fignoler l'opération du 29 novembre, cette « manif » nationale qui, à Paris, doit clore l'importante campagne de SOS destinée à faire reculer concrètement le racisme. Concrètement : le nouvel adverbe clef. Finies, paraît-il, les idéologies ! Du pragmatisme. Ah ! le « pragmatisme », ce mot qu'affectionne tant Harlem.

DOMINIQUE de MONTVALON et SYLVIANE STEIN ■

EXPLICATIONS

Les connotations culturelles

les « potes » : les amis ; *ici*, les jeunes qui n'ont pas la peau blanche et qui habitent en France. Leurs parents sont originaires d'anciennes colonies françaises, surtout d'Afrique. Le mouvement anti-raciste dont Harlem Désir est le leader s'appelle « SOS Racisme ». Son slogan est « Touche pas à mon pote ».

[1] **alsacienne :** de l'Alsace, région du nord-est de la France

antillais : des Antilles, îles françaises dans la mer des Caraïbes

[2] **Europe 1 :** station de radio très populaire en France

« L'Heure de vérité » : nom d'une émission sur Antenne 2 (chaîne de télévision) où l'on interviewe pendant une heure une personne très connue

[4] **le PS :** le Parti socialiste

[5] **Michel Rocard** (Parti socialiste) ; **François Léotard** (Parti républicain) ; **Simone Veil** (Union de la Démocratie française) ; **Michèle Barzach** (Rassemblement pour la République) : personnalités appartenant à différents partis politiques

les HLM : les Habitations à loyer modéré

[7] **le T.g.v. :** le train à grande vitesse

la cité des Gaules : Lyon

le général de Gaulle (1890–1970) : héros de la Résistance contre l'occupation de la France par les Nazis pendant la Deuxième Guerre mondiale. Il a été le premier président (1958–1969) de la Cinquième République.

[8] **Dakar :** capitale du Sénégal, en Afrique

Martin Luther King (1929–1968) : pasteur noir américain qui a mené une campagne en faveur des droits égaux pour les Noirs dans la société américaine

Antenne 2 ; TFI : chaînes de télévision françaises

la Wallonie : région de Belgique

Aix-en-Provence : ville du Midi de la France

un CRS : un agent de la Compagnie Républicaine de Sécurité, force policière pour maintenir l'ordre

un beur : enfant de parents arabes ou noirs habitant en France

Les mots

franc-tireur (m) : personne qui mène une action indépendante

de gauche... cache pas : il ne nie pas être politiquement de gauche

parti (m) : *ici*, parti politique

[1] **pourfendeur** (m) : personne qui attaque systématiquement et sévèrement certaines idées

exploser : *ici*, se trouver partout, devenir très populaire

² **on se l'arrache :** tout le monde veut le voir
ausculter : *ici,* analyser
bondir : *ici,* courir
sortir en librairie : publier
siège (m) : bureau principal
s'entasser : *ici,* arriver en grande quantité
prestation (f) : *ici,* performance publique

³ **stupéfait :** très étonné
plaider pour sa boutique (fam) : ne penser qu'à ses intérêts personnels
téléspectateur (trice) (m/f) : personne qui regarde la télévision

⁴ **militant** (m) : *ici,* Harlem Désir qui a lutté activement pour changer la société
a fait ses classes... trotskisme : a appris son métier dans l'entourage du mouvement trotskiste (mouvement d'extrême-gauche)
las (lasse) : fatigué(e)
politiques (m pl) : professionnels de la politique

⁵ **peu ou prou :** plus ou moins
tour (f) **sans âme :** grand immeuble triste et anonyme

imprécation (f) **moralisante :** *ici,* critiques d'autres personnes

⁶ **pari** (m) : défi
passage (m) : *ici,* interview
entre droite et gauche : entre les partis politiques de la droite et ceux de la gauche

⁷ **accoudé :** cf. le coude
cède carrément à l'emphase : emploie un langage exagéré

⁸ **filer :** se précipiter
démarrer : *ici,* faire son début, commencer
soutenir : *ici,* aider
stigmatiser : condamner avec force
clément : *ici,* léger
fignoler : préparer dans les moindres détails
manif (f) (fam) : manifestation
clore : terminer
affectionner : aimer

INTERACTION AVEC LE TEXTE

Avant de lire Regardez les photos qui illustrent ce texte. Qu'est-ce qu'elles nous apprennent sur Harlem Désir ? Lisez ensuite le sous-titre du texte.

Les idées essentielles

1. Quels détails biographiques est-ce que ce texte nous donne sur Harlem Désir ?

2. Trouvez trois informations qui montrent que les médias s'intéressent beaucoup à Harlem Désir.

3. Trouvez deux indications dans le texte qui montrent qu'Harlem Désir ne représente pas seulement l'opinion des jeunes Français.

4. « Concrètement » est un mot qui décrit bien l'attitude d'Harlem Désir. Trouvez dans le texte trois exemples d'actions « concrètes ».

5. Donnez deux exemples qui montrent que le combat mené par Harlem Désir contre le racisme n'est pas limité à la France.

Analyse des idées

1. Qu'est-ce qui indique qu'Harlem Désir est quelqu'un de dynamique et de très actif ?

2. Comment est-ce que le dynamisme d'Harlem Désir renforce sa popularité ?

3. Quels sentiments est-ce que la plupart des téléspectateurs ont éprouvés après avoir regardé « L'Heure de vérité » avec Harlem Désir ?

4. Quelle est la qualité que les téléspectateurs ne retrouvent plus chez les personnalités politiques des partis traditionnels et qu'ils ont appréciée chez Harlem Désir ?

5. Quels sont les liens entre son combat contre le racisme et ses rencontres avec (a) Peter Gabriel, (b) un « conseiller de l'ambassade des Etats-Unis à Paris », (c) ses « potes de tous les pays » ?

Activités orales

1. *Interview.* Vous êtes envoyé(e) par L'Express interviewer Harlem Désir dans le T.g.v. Préparez cinq questions à lui poser. Ensuite, avec un(e) camarade de classe, vous jouez l'interview. Vous serez à tour de rôle journaliste de L'Express et Harlem Désir qui répond aux questions.

2. *Débat.* Avec quatre camarades de classe, vous participez à une émission télévisée pour décider qui sera nommé meilleur porte-parole de votre génération.

3. *Débat.* Les meilleurs moyens de combattre le racisme.

Activités écrites

1. *Rédaction.* Est-ce qu'Harlem Désir vous paraît sympathique ? Pourquoi ?

2. *Lettre.* Vous écrivez à SOS-Racisme pour vous plaindre de la discrimination dont vous venez d'être victime.

3. *Portrait.* Vous rédigez un article de journal où vous faites le portrait d'une jeune personnalité célèbre.

La liberté

par François Mitterrand

François Mitterrand, président de la République française.

La liberté, les libertés en France et dans le monde ; les moyens de la liberté ; l'égalité, la fraternité, la souveraineté du peuple ; les bastilles de la fin du XXᵉ siècle et du siècle prochain : à l'occasion du bicentenaire de la Révolution, le président de la République a accepté de répondre aux questions de L'Express.

¹ **L'Express :** *Les Français vous paraissent-ils avoir, autant qu'il y a deux siècles, la passion de la liberté ?*

² **François Mitterrand :** Je pense que oui. Mais seule l'épreuve pourrait révéler l'exacte mesure de leur état d'esprit aujourd'hui. Depuis maintenant plus de quarante ans, les Français ont été épargnés. Ma génération, elle, ne l'a pas été. Nous avons vécu la guerre et le désastre de 1940. Le coup a été rude. Mais, au travers des

quatre années d'Occupation, on a vu monter, du fond de notre peuple, une volonté grandissante et puissante de combattre pour la liberté. Avons-nous gardé nos vertus profondes, celles qui ont prévalu avec tant d'éclat en 1789 ? Je le crois. Nous sommes un vieux peuple. Depuis dix siècles, ou, plus exactement, disons depuis Philippe Auguste, nous avons surmonté des moments de détresse, des drames nationaux, presque des pertes d'identité. La réalité nationale a transcendé l'événement. Certes, nous n'avons pas à mettre les Français à l'épreuve pour le plaisir de...

³ — ... de vérifier...

⁴ — ... s'ils ont toujours la passion de la liberté ! Mais vous remarquerez que leur attitude générale s'est traduite par le refus de la période stalinienne, du communisme du goulag. Par le refus de l'apartheid de l'Afrique du Sud ou du régime de Pinochet. Le peuple français,

François Mitterrand, entouré d'admirateurs, vote dans les élections présidentielles.

lorsqu'il a un choix de ce type à faire, alors que lui-même n'en souffre pas directement dans sa vie quotidienne, se sent, par un mouvement de pensée naturel, dans sa grande majorité, solidaire des combats pour la liberté dans le monde.

⁵ — *Pensez-vous que la marche vers la démocratie soit, dans le monde, inéluctable ?*

⁶ — Non ! Tirons la leçon des aller et retour de l'Histoire. J'ai passé ma jeunesse dans un environnement d'où la liberté était proscrite. C'était l'époque de Staline, de Hitler, de Mussolini, de Franco, de Salazar et de quelques autres en Europe… Autant de souvenirs qui incitent à la prudence. Mais, c'est vrai : l'Europe s'est libérée, ou à peu près. D'autres continents, à leur tour, connaissent une évolution du même ordre. L'Amérique latine, par exemple : la plupart des pays de cette région se sont débarrassés de leurs dictatures.

⁷ — *Et, pourtant, vous restez inquiet…*

⁸ — La liberté est fragile. Je l'ai répété tout le long de ma vie politique : elle n'existe pas à l'état naturel, mais résulte d'une construction sociale. Pour préserver la liberté, des institutions sont nécessaires, qui arbitrent entre les intérêts et les passions. Les institutions ont, à leur tour, tendance à devenir étouffantes et peuvent devenir moyens d'oppression. La liberté est toujours en équilibre instable. Puisque je vous parlais des nouvelles démocraties d'Amérique latine, soyons sûrs qu'elles ne résisteraient pas longtemps au sous-développement. La liberté et la démocratie exigent un effort permanent.

⁹ — *Les moyens audiovisuels ont-ils, dans l'ensemble, servi la liberté jusqu'à présent ?*

¹⁰ — Oui. Mais c'est la langue d'Esope. Le progrès technique, mis à la disposition de l'esprit, représente un formidable facteur de liberté, comme il a été et sera, si nous n'y prenons garde, un facteur d'oppression. N'oublions pas que le fascisme, le nazisme ont été imposés à grand renfort de spectacles amplifiés par le film et la radio. L'homme est maître du cours des choses. Les instruments qu'il crée sont à sa disposition. La machine a été inventée au XVIIIᵉ

siècle, au début de la première révolution industrielle, pour relayer, libérer la force physique de l'homme. Or, tout au long du XIXe siècle, elle l'a obligé à travailler plus durement. La machine du XXe siècle se substitue à la mémoire, au jugement. Qu'allons-nous en faire ? Elle devrait être, normalement, un instrument de libération. Mais qui sait ? Voyez les précautions qu'il faut prendre dans le domaine informatique. Et considérez le langage binaire de l'ordinateur, qui deviendra la langue la plus répandue et qui neutralise à outrance les sentiments, les nuances, les richesses du verbe. Le progrès n'a que l'âme de celui qui s'en sert.

11 — *On sent, en France, une très forte aspiration égalitaire...*

12 — L'inégalité attente à la liberté. Pendant la première révolution industrielle, qu'est-ce que voulait dire « liberté-égalité-fraternité » pour un ouvrier qui travaillait quatorze heures par jour, qui n'avait ni repos ni protection sociale ? Pour un enfant de moins de 10 ans soumis à un rythme identique ? Rechercher une égalité réelle dans un pays, c'est travailler pour la liberté. Il existe une solidarité entre ces principes. Pourquoi a-t-on tant lutté pour la liberté ? Parce qu'elle est, comme le pain, existentielle. L'égalité relève de la même recherche. Cela est contenu, je le répète, dans quelques principes simples. La Déclaration des droits de l'homme, de quoi parle-t-elle ? Du droit de se réunir, du droit de s'exprimer, du droit de s'associer, c'est facile à dire, si cela reste toujours très compliqué à faire.

13 — *La solidarité n'a-t-elle pas remplacé la fraternité ? Ne se débarrasse-t-on pas un peu facilement sur l'Etat de ce qui relève du cœur ? Comment retrouver cet humanisme ?*

14 — N'opposons pas les termes fraternité et solidarité. Le premier a une résonance plus morale, le second, une résonance plus sociale. Mais ils veulent dire la même chose. Il appartient à l'Etat d'organiser et de garantir la solidarité nationale. On ne peut pas attendre cette solidarité des seuls bons sentiments individuels. Mais comment voulez-vous que la fraternité demeure quand personne ne connaît l'autre ? J'incrimine à ce sujet l'absence de civilisation urbaine. Un des grands torts de notre démocratie est de ne pas avoir aménagé la mutation entre la société à dominante rurale d'avant 1914 et la société à dominante urbaine d'aujourd'hui. Les villes ne sont pas faites — et c'est dommage — pour la relation, la communication entre les gens. On ne se connaît pas, on se rencontre si peu... Il n'est pas de pire solitude que celle qui prévaut dans la foule. L'absence de convivialité disloque notre société.

15 — *Peut-on y remédier ?*

16 — Assurément. Par le mode de construction, d'urbanisme, par les choix esthétiques, par l'organisation des transports, par la multiplication des centres de culture, par la proximité des installations sportives, par une intelligente politique du logement, par le développement de la vie associative, par la volonté de ne pas réserver le centre des villes aux groupes sociaux privilégiés. Attention aux petits murs de Berlin invisibles qui se dressent un peu partout dans notre corps social ! Quand il ne s'agirait que de protéger la cellule familiale ! Nos villes ne permettent plus aux petits-enfants de connaître les grands-parents. Les horaires des enfants et des parents ne collent pas entre eux.

17 — *L'un des droits fondamentaux de l'homme n'est-il pas, aujourd'hui, de vivre dans une nature préservée ?*

18 — Le premier droit de l'homme, c'est de vivre. Ce qui nuit à la vie attente à la personne humaine, donc à la liberté. La nature est autour de nous et nous sommes la nature elle-même. La détruire est s'autodétruire. Quelle sottise ! Mais ne devenons pas hostiles, pour autant, au progrès, sous prétexte qu'il changerait ce qu'on a connu jusqu'alors. Rien n'est immobile. A nous de conduire de façon responsable notre relation avec ce qui nous environne.

19 — *Pensez-vous que les Français célèbrent aujourd'hui la Révolution dans le consensus ?...*

20 — Il est bien évident que non. Deux siècles, dans l'histoire d'un peuple, c'est court. Et les Français gardent le souvenir de leurs affrontements passés. Que la Vendée, qui a beaucoup souffert — même si elle a aussi fait souffrir — se sente à part dans la célébration du bicentenaire, ce n'est pas étonnant... Les différences d'appréciation persistent. Mais une immense majorité se reconnaît dans la Révolution parce qu'elle se reconnaît dans la République, et parce que la République est fille de la Révolution et des principes qui l'ont engendrée : liberté, égalité, fraternité, souveraineté du peuple.

EXPLICATIONS

Les connotations culturelles

François Mitterrand (né en 1916) : élu président de la République en 1981, réélu pour sept ans en 1988

[2] **1940** : défaite de l'armée française et occupation de la France par l'armée d'Hitler
une volonté... de combattre pour la liberté : il s'agit ici de la Résistance française qui s'est organisée contre l'occupation allemande
1789 : année de la Révolution française
Philippe Auguste (1165–1223) : roi de France

[4] **la période stalinienne... goulag** : en Union soviétique
le général Augusto Pinochet : président militaire du Chili

[6] **Staline, Hitler, Mussolini, Franco, Salazar** : dictateurs en Union soviétique, en Allemagne, en Italie, en Espagne et au Portugal

[10] **Esope** : auteur de « Fables » datant de l'Antiquité grecque. La langue des « Fables » peut avoir des sens différents.

[12] **la Déclaration des droits de l'homme et du citoyen** : déclaration, proclamée le 27 août 1789 qui affirme les grands principes de la République française

[16] **la vie associative** : des associations qui réunissent des gens en vue d'un objectif particulier. La vie associative est le contraire de la vie individualiste. On dit que les Français sont traditionnellement attirés vers la vie individualiste.

Les mots

[1] **autant qu'il y a deux siècles** : au même degré qu'en 1789

[2] **épreuve** (f) : souffrance, malheur
ont été épargnés : n'ont pas connu ces épreuves
le coup... rude : le choc a été terrible
prévaloir : triompher
avec tant d'éclat : brillamment, remarquablement

[5] **inéluctable** : inévitable

[6] **était proscrite** : n'était pas autorisée
se débarrasser de : se libérer de

[8] **arbitrer** : juger
étouffantes : suffocantes

[10] **si nous n'y prenons garde** : si nous n'y faisons pas attention
à grand renfort de : à l'aide d'une grande quantité de
relayer : remplacer
informatique (f) : théorie et traitement de l'information par les ordinateurs
à outrance : excessivement

[11] **égalitaire** : cf. égalité (f)

[12] **attenter à** : faire du mal à
relever de : dépendre de, appartenir à

[13] **ne se débarrasse-t-on pas... de ce qui** : ne demande-t-on pas un peu facilement à l'Etat d'être responsable de ce qui

[14] **il appartient à** : c'est le rôle de
quand personne ne connaît l'autre : quand les gens ne se connaissent pas
incriminer : accuser
aménager : préparer méthodiquement
mutation (f) : transformation
prévaloir : *ici*, exister

[16] **assurément** : certainement
coller : *ici*, coïncider

[18] **nuire à** : faire du mal à
sottise (f) : stupidité

[20] **affrontement** (m) : dispute
engendrer : créer

INTERACTION AVEC LE TEXTE

Avant de lire   Qu'est-ce que le mot « liberté » évoque pour vous ?

Les idées essentielles

1. Est-ce que François Mitterrand croit que les Français de 1989 sont aussi prêts à défendre la liberté que les Français de 1789 ?

2. Quelle est la réaction instinctive des Français quand, dans un autre pays, les citoyens perdent leur liberté ?

3. Pourquoi François Mitterrand dit-il que la liberté est fragile ?

4. Qu'est-ce qui est nécessaire pour protéger la liberté dans un pays ? Mais quel est le danger ?

5. Pourquoi est-ce que le progrès technique ne produit pas nécessairement une plus grande liberté ?

6. A quelle nourriture est-ce que François Mitterrand compare la liberté ? A votre avis, pourquoi a-t-il choisi cette nourriture-là ?

7. Pourquoi est-ce que la transition d'une société principalement rurale à une société principalement urbaine a rendu plus difficile la fraternité entre les gens ?

8. Pourquoi est-ce que la destruction de l'environnement est une « sottise » ?

9. Selon Mitterrand, quelles sont les différences entre les attitudes des Français à l'égard de la Révolution française ?

10. Quels principes sont à la base de la République française aujourd'hui ?

Analyse des idées

1. Dans l'histoire de France, quels sont les deux exemples cités par François Mitterrand pour montrer que les Français sont attachés à la liberté ?

2. Qu'est-ce qui illustre l'attachement des Français à la liberté dans le monde entier ?

3. Qu'est-ce que l'Histoire peut nous enseigner sur le respect de la liberté et l'évolution de la démocratie dans le monde ?

4. L'évolution de la machine illustre le progrès technique. Quels sont les dangers de la « machine » pour la pensée humaine à la fin du XXᵉ siècle ?

5. Est-ce que, selon François Mitterrand, la liberté peut exister dans un pays où l'égalité sociale n'existe pas ? Justifiez votre réponse.

6. Qu'est-ce que les principes cités par François Mitterrand dans la « Déclaration des droits de l'homme » illustrent ?

7. Quelle distinction est-ce que François Mitterrand fait entre la « fraternité » et la « solidarité » ?

8. Quels remèdes est-ce que François Mitterrand propose pour rendre les villes modernes plus fraternelles ?

9. Qu'est-ce qui rend possible un conflit entre la protection de la nature et le progrès ? Quelle solution est proposée ?

10. Quelle est l'importance de la Révolution française pour la République française aujourd'hui ?

Activités orales

1. *Dialogue*. Une femme discute avec son mari. Elle affirme que dans la société où elle vit, il est beaucoup plus facile « d'être libre » pour un homme que pour une femme. Le mari, bien sûr, n'est pas d'accord.

2. *Echange d'idées*. Qu'est-ce que « se sentir libre » signifie pour vous ?

3. *Débat*. A votre avis, est-ce que la démocratie sera un jour installée dans tous les pays du monde ou est-ce qu'il y aura toujours des dictatures ? Pourquoi ? Quelle est la meilleure manière de contribuer à la victoire de la démocratie ?

4. *Discussion*. Est-ce que l'influence de la Révolution française continue dans le monde d'aujourd'hui ? Justifiez votre opinion.

Activités écrites

1. *Rédaction*. La Liberté est composée d'un certain nombre de libertés (liberté d'expression, liberté de mouvement, liberté d'information, etc.). Quelles libertés sont les plus importantes pour vous ? Pourquoi ?

2. *Plan d'action*. Vous êtes responsable d'un projet pour rendre plus humaine (« fraternelle ») la vie dans une grande ville. Parmi les remèdes proposés par le président Mitterrand pour améliorer la qualité de la vie urbaine, lequel (ou lesquels) allez-vous adopter ? Justifiez votre choix et rédigez un plan d'action pour inciter la participation des habitants de la ville à votre projet.

Un lieu commun peu banal

[1] La classe politique, pour une part, se défait. Mais la classe européenne, ces temps-ci, se porte bien. Deux histoires du Vieux Continent, coup sur coup, viennent de « sortir ». La première, dirigée par François Lebrun et Jean Carpentier, se veut collective, œuvre de huit historiens. La seconde est rédigée par un seul homme, jeune septuagénaire en pleine forme, Jean-Baptiste Duroselle ; elle paraît en huit langues européennes (mais pas en grec mo-

Du jamais-lu : l'histoire de l'Europe enfin racontée sans nationalisme ni frontières.

derne), à raison de 150 000 exemplaires au total.

[2] Ecrire l'histoire de l'Europe n'est jamais facile. On ne dispose pas, pour ce type d'écriture, d'une dynastie toute trouvée (Habsbourg, Capet, Hanovre ou Savoie, peu importe), au fil de laquelle il suffit d'accrocher, comme avec des épingles à linge, tel développement sur le mercantilisme sous Louis XIV ou le premier socialisme au temps de Charles X. On doit synthétiser, innover, transcender les frontières.

[3] Les auteurs, en fin de compte, regroupent la panoplie des courants culturels dont le mixage a produit, depuis six mille ans, le film européen. Vient d'abord la phase mystérieuse des mégalithes,

Naissance de l'Europe dans l'Antiquité. Carte du monde de Ptolémée (vers 100-170 après Jésus-Christ), imprimée en 1482.

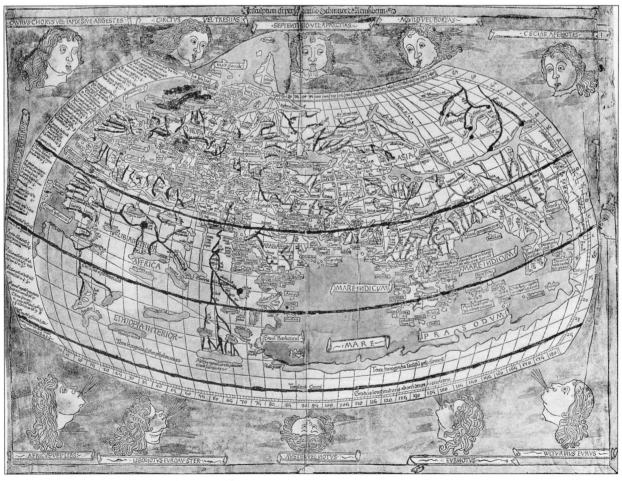

de 4000 à 2000 avant Jésus-Christ : elle déploie, entre Baltique et Méditerranée, le blanc manteau des pierres verticales, témoins muets d'une forme culturelle dont on devine l'existence, mais non la philosophie. Les Celtes, mille ans plus tard, peuplent Germanie, Lombardie, Gaule, Irlande : ils seront refoulés, de nos jours, dans les finistères (pays de Galles, Bretagne occidentale), où leurs langages — hélas ! — s'éteignent en douceur. Les Grecs inventent le régime démocratique, puis les sciences exactes. Rome accouche de l'impériale unité du Vieux Monde, et donne naissance aux nations latines (Espagne, Portugal, Roumanie, France, Italie). Les Germains s'introduisent comme un coin, dès le IVᵉ siècle après Jésus-Christ, dans la civilisation romaine : ils engendrent, à longue dis-tance de temps, les deux puissances dominantes de l'Ouest actuel, soit l'entité anglo-saxonne et la grande Allemagne. Le Moyen Age chrétien combine l'homogénéité d'un catholicisme sans couture avec l'ultradispersion féodale. La Renaissance s'enracine au plus lointain : lecture de la Bible juive, résurrection des auteurs antiques, contact avec les civilisations passéistes des Aztèques ou des Incas : les « Renaissants » découvrent ainsi, paradoxe, le secret d'une cure de jouvence. Nos quatre derniers siècles, enfin, coïncident avec la conquête du monde, au « bénéfice » des Européens, eux-mêmes guerroyants et divisés.

[4] Les auteurs de ces livres jumeaux dénoncent volontiers les « pseudo-européens » : à commencer par Charles Quint : il est bloqué par l'Islam. Mais il est coincé, de surcroît, entre des principautés protestantes (qui le rejettent) et la France catholique : elle ne veut rien savoir des prétentions « carolines ».

[5] Napoléon singe, parfois, les despotes éclairés. Mais ce mégalomane est, simultanément, moins qu'européen (il ramène tout à l'intérêt français, au point d'irriter ses sujets allemands ou néerlandais) et plus qu'européen : il rêve de conquérir l'Asie, l'Afrique et même l'Amérique. Hitler, à ses moments perdus, se prétend bon européen, mais nous croyons superflu d'épiloguer sur sa performance. Staline n'a jamais dévoré qu'une moitié d'Europe, dont ses successeurs viennent de recracher les noyaux, fort endommagés par l'opération.

[6] Les vrais européens, eux, ne sont pas des conquérants, mais d'authentiques fédéra-

L'Europe du XXIᵉ siècle : mythe ou réalité ?

Imaginez une Europe qui ne formerait qu'un seul pays :

Il n'y aurait plus de citoyens français, anglais, allemands, etc., mais uniquement des citoyens européens.

Il n'y aurait plus de gouvernements français, anglais, allemand, etc., mais un gouvernement européen.

Il n'y aurait plus de Parlements français, anglais, allemand, etc., mais un Parlement européen.

Ce nouveau pays s'appellerait Etats-Unis d'Europe, et la France, l'Allemagne, l'Angleterre, etc. ne seraient plus que des régions de ce nouvel Etat, avec une autonomie comparable à celle des Etats (Californie, Texas, Floride, etc.) qui composent les Etats-Unis d'Amérique.

Les Français y croient-ils ?

Pensez-vous, personnellement, que ce scénario pourra se réaliser ? Diriez-vous qu'il est...

Très probable	8	} **48 %**
Assez probable	40	
Peu probable	34	} **48 %**
Pas probable du tout	14	
Sans opinion	4	

Et le veulent-ils ?

Et vous-même, seriez-vous très, assez, peu ou pas favorable du tout à cette Europe-là ?

Très favorable	22	} **60 %**
Assez favorable	38	
Peu favorable	18	} **35 %**
Pas favorable du tout	17	
Sans opinion	5	

Sondage réalisé en février 1989, auprès d'un échantillon de 1 006 personnes, représentatif de la population française âgée de 18 ans et plus.

listes : leur cohorte, d'abord minuscule, s'étoffe au fil des générations, de 1600 à nos jours : Sully sous les premiers Bourbons ; l'abbé de Saint-Pierre au temps de Louis XV ; Hugo et Proudhon au XIXᵉ siècle... Ces personnalités généreuses ont joué de malheur. Elles tombaient toujours sur des nationalistes belliqueux, plus influents, plus décisifs : Mazzini est mis en échec par Bismarck, Jaurès par Guillaume, Briand par Hitler. Mais, depuis 1945, cette logique infernale est enrayée : la cohorte intégrationniste devient bataillon, l'Europe prend forme.

[7] A l'aune des jugements de Duroselle, les personnages importants de notre époque ne sont pas des « nationaux » au sens strict du terme : ils ne s'appellent plus Thatcher ni même de Gaulle : mais Coudenhove-Kalergi, Paul Henri Spaak ou Jean Monnet.

EMMANUEL LE ROY LADURIE ■

Histoire de l'Europe, sous la dir. de François Lebrun et Jean Carpentier. Seuil, 632 p., 240 F.
L'Europe. Histoire de ses peuples, par Jean-Baptiste Duroselle. Perrin, 424 p., 300 F.

EXPLICATIONS

Les connotations culturelles

[1] **la classe politique :** les hommes et les femmes qui dirigent la vie politique du pays. On dit qu'ils constituent une classe sociale.

la classe européenne : les hommes et les femmes qui travaillent pour la construction de l'Europe

le Vieux Continent : l'Europe

[2] **Habsbourg :** dynastie qui a régné sur l'Autriche de 1278 à 1918

Capet : dynastie qui a régné sur la France de 987 à 1328

Hanovre : dynastie qui a régné sur la Grande Bretagne de 1714 à 1917

Savoie : dynastie qui a régné sur la Savoie à partir du XIᶜ siècle et sur l'Italie de 1860 à 1946

Louis XIV : roi de France de 1643 à 1715

Charles X : roi de France de 1824 à 1830

[3] **La Gaule :** dans l'Antiquité, la région se trouvant à l'intérieur d'une frontière constituée par le Rhin, les Alpes, la Méditerranée, les Pyrénées et l'Atlantique. Une partie de la Gaule est devenue la France.

[4] **Charles Quint :** roi d'Espagne et de Sicile (1516–1556), empereur germanique (1519–1556). Cet ennemi des rois de France et des luthériens d'Allemagne a aussi fait la guerre contre les pays musulmans.

« carolines » : associées à Charles Quint

[5] **Napoléon 1ᵉʳ :** empereur des Français (1804–1815). A la tête de l'armée française, il a fait des campagnes militaires en Egypte et à travers toute l'Europe jusqu'à Moscou.

Adolf Hitler (1889–1945) : chef de l'Allemagne nazie pendant la Deuxième Guerre mondiale

Joseph Staline (1879–1953) : chef communiste de l'Union soviétique

dont ses successeurs... opération : allusion aux pays de l'Europe de l'Est qui ont quitté le système communiste en 1990. L'économie de ces pays était en ruines.

[6] **Sully** (1560–1641) : ministre du roi Henri IV

les Bourbons : Henri IV est le premier roi de la maison des Bourbons. Son fils Louis XIII et les rois suivants de Louis XIV à Louis XVIII, appartiennent aussi à cette maison.

l'abbé de Saint-Pierre (1658–1743) : auteur de textes sur l'économie politique et la philosophie. Il a créé le mot « bienfaisance ».

Victor Hugo (1802–1885) : grand écrivain français et défenseur d'idées républicaines

Pierre Proudhon (1809–1865) : théoricien français du socialisme et du fédéralisme

Giuseppe Mazzini (1805–1872) : l'un des fondateurs de la République italienne

Otto von Bismarck (1815–1898) : premier ministre du roi de Prusse et architecte de l'unité allemande. Après son succès dans la guerre de 1870–71 contre la France, il constitue avec l'Autriche et l'Italie la Triple-Alliance.

Jean Jaurès (1859–1914) : socialiste et pacifiste français. Il essaie d'empêcher la Première Guerre mondiale. Il attire l'hostilité des nationalistes et meurt assassiné.

Guillaume II (1859–1941) : roi de Prusse et empereur d'Allemagne (1888–1918). Il est un des instigateurs de la Première Guerre mondiale.

Aristide Briand (1862–1932) : homme politique français qui favorise un rapprochement franco-allemand pour créer la paix en Europe

depuis 1945 : depuis la fin de la Deuxième Guerre mondiale

[7] **Margaret Thatcher** (née en 1925) : premier ministre d'Angleterre de 1979 à 1990. Elle n'est pas favorable à la création de l'Europe.

Charles de Gaulle (1890–1970) : fondateur et premier président de la Cinquième République de 1958 à 1969. Il défend l'indépendance de la France contre les « Européens », comme Jean Monnet.

Richard Coudenhove-Kalergi (1894–1972) : autrichien, fondateur du mouvement paneuropéen et partisan de la création du Conseil de l'Europe en 1949

Paul Henri Spaak (1899–1972) : homme politique belge. Il est président de l'Assemblée consultative du Conseil de l'Europe (1949–1951) et se consacre à la construction européenne.

Jean Monnet (1888–1979) : économiste français qui est l'un des principaux constructeurs de l'Europe.

Les mots

lieu (m) **commun** : cliché ; *ici*, il y a un jeu de mots avec « endroit qui appartient à tous »

[1] **se défaire** : se décomposer
coup sur coup : en même temps
sortir : être publié
septuagénaire : âgé de soixante-dix ans
à raison de : avec

[2] **épingle** (f) **à linge** : petite pince qui sert à attacher à un fil le linge qu'il faut faire sécher.

[3] **panoplie** : grande diversité
mixage : *ici*, combinaison
mégalithe (m) : monument composé de grands blocs de pierre naturelle
déployer : disposer
muet : silencieux
refouler : repousser
finistère (m) : Le Finistère est un département de la France en Bretagne où on parle encore le breton, une langue celtique. *Ici*, au sens figuré, toute région de l'Europe où on parle une langue celtique
s'éteindre en douceur : disparaître lentement

accoucher de : donner naissance à
impérial : cf. l'empire (m)
actuel : d'aujourd'hui
soit : c'est-à-dire
sans couture : *ici*, unie
s'enraciner au plus lointain : prendre ses racines très loin
jouvence (f) : jeunesse
guerroyant : faisant la guerre

[5] **singer** : imiter
ramener : réduire
à ses moments perdus : pendant ses loisirs
épiloguer... performance : écrire davantage sur ses actions (parce que tout le monde connaît les atrocités qu'il a commises)
noyau (m) : partie dure se trouvant à l'intérieur de certains fruits ; *ici*, ce qui reste

[6] **s'étoffer** : *ici*, grandir
jouer de malheur : ne pas avoir de chance
belliqueux : qui aime la guerre
enrayer : arrêter

[7] **à l'aune des** : selon les

INTERACTION AVEC LE TEXTE

Les idées essentielles

1. L'auteur divise en sept périodes les six mille ans de l'histoire européenne. Quelles sont ces périodes ?

2. Classez les personnes citées dans les quatre derniers paragraphes entre les catégories suivantes :

Pseudo-Européens	Vrais Européens	Nationalistes belliqueux	Nationalistes

Analyse des idées

1. Qu'est-ce qui aurait facilité l'écriture d'une histoire de l'Europe ?

2. Pour réussir l'écriture d'une histoire de l'Europe, qu'est-ce qu'on doit faire ?

3. Qu'est-ce que les Grecs ont inventé ?

4. Quelles sont les « nations latines » ? Pourquoi les appelle-t-on « nations latines » ?

5. Quelles sont aujourd'hui « les deux puissances dominantes de l'Ouest » ? Quel peuple est à leur origine ?

6. Quelles sont les deux caractéristiques du Moyen Age ?

7. Qu'est-ce qui a inspiré la Renaissance ?

8. Qu'est-ce qui caractérise les Européens des quatre derniers siècles ?

9. L'auteur admire-t-il Napoléon ? Justifiez votre réponse.

10. Comment pourrait-on définir les vrais Européens ?

Activités orales

1. *Débat. Pour et contre l'Europe :* D'authentiques fédéralistes européens discutent avec des nationalistes.

2. *Sondage.* Discutez les résultats du sondage à la page 61.

Activités écrites

1. *Portrait.* Vous faites le portrait de l'une des personnes citées dans le texte ou d'une personnalité européenne actuelle.

2. *Préférence.* Quelle période de l'histoire de l'Europe vous intéresse le plus ? Donnez vos raisons.

La Communauté européenne (C.E.)

Douze pays membres :

1957	par le Traité de Rome, six pays créent le Marché commun : l'Allemagne fédérale, la Belgique, la France, l'Italie, le Luxembourg, les Pays-Bas
1958	installation à Bruxelles de la Commission exécutive du Marché commun et première réunion du Parlement européen à Strasbourg. (Depuis 1979 le Parlement européen est élu tous les cinq ans au suffrage universel dans chaque pays.)
1962	accord sur une politique agricole commune
1973	trois nouveaux membres : le Danemark, la Grande-Bretagne, l'Irlande
1981	la Grèce devient membre
1986	deux nouveaux membres : l'Espagne, le Portugal
1992	le Traité de Maastricht prévoit une plus grande intégration monétaire et politique des douze pays
1er janvier 1993	début de marché unique de la C.E. sans frontières (plus de 345 millions d'habitants)
1er novembre 1993	entrée en vigueur du Traité de Maastricht qui transforme la Communauté européenne en « Union européenne »

L'identité de l'Europe

Quand la Communauté économique européenne vit le jour, la Seconde Guerre mondiale n'était pas terminée depuis bien longtemps. Un Rideau de fer était tombé entre les deux parties du continent. Le traité de Rome fut donc, d'abord, l'expression d'une volonté : celle de rendre impossible tout conflit entre les nations de l'Europe de l'Ouest ; il marqua aussi la détermination de ces mêmes nations à résister au bloc communiste. Trente-cinq ans ont passé depuis, soit une période beaucoup plus longue que celle qui sépara la chute du nazisme de la création du Marché commun. Et, durant ces décennies, les ressorts qui tendaient l'ambition des fondateurs s'affaissèrent de façon progressive. Parce que plus personne ne songeait, au sein de la Communauté, à déclarer la guerre à son voisin. Parce que, au soulagement général également, la menace communiste, que les Etats-Unis d'ailleurs avaient prise en charge, cessait à la fin des années 80.

Ainsi la Communauté devait-elle s'enfoncer, sans très bien s'en rendre compte, dans le confort matériel qu'assurait la croissance économique. Et cette croissance allait en quelque sorte devenir le moteur unique de l'intégration européenne, l'objectif politique disparaissant au fur et à mesure que s'estompait la peur. En perdant de vue le grand dessein des années 50, les Six, puis les Neuf, puis les Douze, comme tranquillisés sur leur sort, n'ont plus éprouvé le même besoin de renforcer sans cesse leurs liens. Ils ont au contraire privilégié, sous l'influence des Etats-Unis, peu soucieux de voir émerger une nouvelle puissance contestant leurs intérêts, la généralisation des préférences qu'ils s'accordaient entre eux.

Cependant, cette banalisation du projet entraînait partout une évolution considérable des esprits. Au delà de la libre circulation des hommes, des marchandises et des capitaux, quel sens conservait l'Europe ? Faire l'Europe ? Oui, mais pour quoi ? Ne s'agissait-il pas, au fond, d'un horizon intermédiaire et stérile entre la mondialisation des économies et la régionalisation des cultures ?

C'est parce qu'elles sont incapables de répondre ensemble à cette question que les nations européennes de 1993 piétinent, c'est-à-dire reculent. Débarrassés — et nul ne le regrettera — des menaces les plus graves, les Européens ne nourrissent aucun projet pour temps de paix. La monnaie unique, encore fort éloignée, n'induit aucune ambition de civilisation. Les Etats de la Communauté ont-ils quelque chose à proposer à leurs propres habitants et au reste du monde, dans l'ordre de la justice, du développement, de la paix, de la démocratie, de l'éthique ?

YANN DE L'ECOTAIS ■

Où en est le grand marché ?

	Les personnes	Les entreprises	Les produits	Les services
1989		Rapprochement autorisé au sein de groupements européens d'intêret économique	Harmonisation des normes de fabrication	
1990				Libre circulation des capitaux
1991	Reconnaissance mutuelle de certains diplômes			Libéralisation de la plupart des marchés de services télécom
1992	Droit de résidence dans le pays de leur choix pour les étudiants et les retraités (en vigueur depuis 1957 pour les salariés)	Harmonisation du droit des sociétés et fin des doubles impositions	Limites à la circulation des déchets dangereux	Ouverture des marchés des assurances auto et vie
1993	Libre circulation à l'intérieur de neuf pays de la C.E. ; Grande-Bretagne, Irlande et Danemark y restent opposés.	Rapprochement des taux de TVA (Taxe sur la Valeur Ajouté) ; meilleure protection des marques déposées et des programmes d'ordinateurs	Levée des contrôles douaniers aux frontières ; libre circulation des marchandises	Compagnies aériennes autorisées à desservir toute la C.E. et à fixer leurs tarifs
1994	Reconnaissance mutuelle de tous les diplômes			
1996	Permis de conduire unique pour toute la C.E.			Numéro d'appel d'urgence unique (le 112)
1997				Libéralisation complète du transport aérien

GÉNÉRATIONS

Le match homme-femme

En principe, ils sont à égalité. En fait, la partie est souvent truquée. Mais le sexe « faible » remonte son handicap. Point par point.

Les femmes sont-elles à égalité avec les hommes ?

¹ **A**vant, c'était simple : les hommes étaient supérieurs aux femmes, qui élevaient les enfants, mitonnaient des petits plats et cancanaient au lavoir pendant que le mâle de leur vie jouait avec des fusils, des décorations, des diplômes et des billets de banque. Après, ce fut aussi simple : les femmes « pouvaient » se conduire comme des acteurs sociaux à part entière, à condition qu'elles en aient le choix, et les droits. Le sexe déchu, après sa crise existentielle, finit par admettre le principe : « Egalité ». Aujourd'hui, c'est plus compliqué. Le match se joue sur deux tableaux : en théorie, XX = XY ; en pratique, XY continue de dominer XX, et l'on n'a pas fini de se demander pourquoi. Un débat dans lequel la science et l'idéologie se sont toujours narguées autour d'une question brûlante : où est l'acquis, où est l'inné ? Bref, si la culture change, jusqu'où iront les femmes ?

² Pour l'instant, en sport, elles talonnent les hommes. A l'école, elles les dominent. Professionnellement, elles se grignotent une place au soleil, bien que le chômage les touche plus. A la maison, manifestement, elles les tétanisent. Ils assistent à leurs petites activités ménagères comme à leurs accouchements : avec un certain intérêt, beaucoup de compréhension, mais une efficacité souvent bornée à la tendresse du regard. Les femmes qui travaillent consacrent près de cinq heures par jour aux tâches domestiques. Les hommes ? Deux heures et demie. 1 sur 4 se croise carrément les bras. Quand les femmes sont au foyer, 41 % des maris sont totalement anesthésiés. Les hommes célèbres sont, comme hier, rarement des femmes. A croire qu'ils ont toujours le pouvoir chevillé aux gènes.

³ Qu'est-ce qui rapproche, qu'est-ce qui différencie ces deux peuplades, appelées à cohabiter depuis la nuit des temps ? Quels sont les atouts respectifs des adversaires en présence ? Physiquement, le sexe faible n'est pas celui qu'on pense. Le taux de mortalité est plus important chez l'homme que chez la femme, et ce dès le moment de la conception : 14 embryons mâles sont fabriqués pour 10 femelles. Mais certains abandonnent... A la naissance, rien — ou presque ! — ne différencie les bébés des deux sexes : les garçons seraient plus sensibles aux stimuli visuels ; les filles, aux bruits et

aux odeurs. Selon le Pr Hubert Montagner, qui l'a observé, les mères embrassent et caressent davantage, dans les tout premiers jours, leur bébé en le nourrissant lorsqu'il s'agit d'une fille. Les petits hommes, jusqu'à 6 mois, dorment plus que leurs voisines de crèche. La tendance s'inverse autour du septième mois, au moment où l'enfant prend conscience de l'étranger, et le craint. Dès lors, le pli est pris : les filles auront toute leur vie besoin de plus de sommeil que les garçons — jusqu'à une heure de différence à l'âge adulte. Les femmes souffrent plus souvent que les hommes de maladies chroniques, mais, en France, leur taux d'absentéisme, hors congés maternité, est à peine supérieur à celui des hommes (5,9 contre 5,1) et, après 40 ans, carrément inférieur. Les hommes, moins fréquemment malades, le sont plus gravement : à eux, par exemple, les maladies cardio-vasculaires. Cette injustice du destin pourrait s'atténuer sensiblement, car elle ne relève pas seulement d'un handicap naturel. Selon des chercheurs américains, 60 % de l'écart des taux de mortalité entre les sexes serait dû à des risques sociaux : le tabac, l'alcool et, plus généralement, le mode de vie. En revanche, les femmes ont un atout fabuleux, lors de la grossesse, qui les protège contre les infections et, physiologiquement, leur donne la pêche. Leurs performances sportives sont alors au top. Sûrement moins équipées que l'homme primitif pour riposter aux agressions, elles résistent plus facilement au stress moderne : leur bagage hormonal les armerait mieux que les hommes dans la vie contemporaine.

4 Plus fragiles, les mâles, oui, mais, croyait-on, au vu du diamètre de leur chapeau, forcément plus intelligents que les femmes, ces petites têtes. « On a utilisé tous les arguments pour essayer de prouver l'inégalité des sexes, déclare le Pr Jean-Didier Vincent, neurobiologiste. On a pesé les cerveaux : mais 200 grammes de moins, c'est peu, au regard de la différence de masse corporelle. Les féministes ont contre-attaqué en déclarant le cortex frontal plus gros chez l'homme que chez la femme : là encore, c'est faux. Puis on a dit que le cerveau de l'homme était plus symétrique que celui de la femme. La réalité « est inverse ». Les deux hémisphères, grâce à un corps calleux plus important, communiquent mieux chez la femme. Quant au cortex gauche, il se développe plus vite chez elle que chez l'homme : les performances verbales et, sans doute, l'habileté manuelle sont acquises plus rapidement. Les garçons sont plus souvent gauchers et dyslexiques que les filles. En revanche, ils sont plus doués dans leur appréhension de l'espace, et attirés dès la petite enfance par les objets. Les petits filles seraient plus à l'aise avec les personnes.

5 « Je suis incapable de différencier, à partir de ses comportements, une fille d'un garçon, dit le Pr Montagner. Les deux sexes utilisent exactement le même répertoire gestuel et verbal : la seule différence est d'ordre statistique. » Cet éthologiste a observé des enfants de moins de 3 ans, qu'il a classés par groupes selon leur comportement : « Chez les enfants offrants, peu agressifs et qui s'imposent dans les compétitions, on rencontre autant de filles que de garçons ; ce sont des enfants attrayants, des leaders. Chez les enfants offrants, pacifiques et participant peu aux compétitions, on trouve plus de filles que de garçons.

Les femmes sont-elles plus sociables ?

Chez les enfants agressifs qui participent aux compétitions, on rencontre nettement plus de garçons que de filles. Chez les enfants agressifs qui ne s'imposent pas dans la conquête d'un jouet, on trouve autant de garçons que de filles. Idem pour les enfants réservés ou fluctuants. » Si l'on rencontre autant d'héroïnes que de héros positifs en herbe dans les crèches, il n'y a pas de raison, sauf si on décourage les filles, pour que cela ne continue pas au boulot.

6 « Il y a plus de différence entre les individus qu'entre les sexes, affirme, quant à lui, le Pr Albert Jacquard, généticien. Hommes et femmes disposent tous de 23 paires de chromosomes, toutes identiques — XX — à une exception près, la 23e : XX pour les femmes, XY pour les hommes. Mais le second X disparaît au cours de la vie, et le Y ne sert pas à grand-chose : c'est le premier X qui fonctionne. » Le Pr Jacquard ne croit pas une seconde que le partage des rôles soit inscrit dans les gènes : « Les mâles sont une invention des femelles qui voulaient une fille qui ne leur ressemble pas. » Plus sérieusement, l'ethnologue Joëlle Robert-Lamblin, qui a longtemps étudié les sociétés eskimo, rapporte une observation troublante : « Là-bas, quand cela les arrange, les parents eskimo élèvent leurs enfants, dès la naissance, dans le sexe de leur choix. Chez les Inuit, 15 % des enfants seraient ainsi élevés dans l'autre sexe. Au Groenland, où j'ai observé une trentaine de cas, les parents choisissaient généralement d'élever un garçon en fille, ou l'inverse, pour rétablir l'équilibre démographique dans la famille. Il fallait un garçon pour accompagner le père à la chasse, ou une fille pour les travaux de couture, etc. » Dès son premier cri, la fille, par exemple, est nommée, habillée, coiffée comme un garçon.

Ou le contraire. Elle va à la chasse, s'amuse avec les garçons. Autrefois, le jeu continuait toute la vie. Mais, dans cette société en mutation, l'enfant retrouve son sexe d'origine à la puberté. Non sans mal : « Un jour, j'ai découvert que j'étais l'une de ces filles qui m'agaçaient tant », a raconté l'une de ces transfuges. « Rien n'aurait pu différencier les enfants élevés dans l'autre sexe des autres enfants : les filles éduquées comme des garçons ne sont pas plus efféminées qu'eux, les garçons élevés en filles sont à peine plus masculins. » Et l'ethnologue conclut : « Les attributs physiologiques, à eux seuls, ne suffisent pas pour définir le sexe. L'entourage peut fabriquer mentalement un garçon ou une fille. » La frontière des sexes serait donc plus aisée à franchir qu'on ne le croit. Angoissant, non ?

JACQUELINE REMY ■

EXPLICATIONS

Les mots

la partie est truquée : les règles du jeu sont faussées

[1] **mitonner :** préparer avec beaucoup de soin
cancaner (fam) : bavarder
lavoir (m) : endroit (souvent au bord d'une rivière) où les femmes allaient autrefois laver leur linge sale
décoration (f) : *ici*, signe honorifique, médaille
se conduire comme... : être
déchu : qui a perdu sa supériorité

se narguer : *ici*, se disputer
inné (m) : qualités qui viennent avec la naissance

[2] **talonner :** *ici*, ne pas être loin derrière
grignoter : *ici*, se préparer petit à petit
une place au soleil : une situation agréable et confortable
tétaniser : *ici*, paralyser
accouchement (m) : moment où la mère donne naissance à un enfant
borné à : limité à

carrément (fam) : tout à fait, complètement

sont anesthésiés : *ici*, ne font rien

chevillé : *ici*, attaché

³ **peuplade** (f) : tribu (*ici*, la tribu des hommes et la tribu des femmes)

atout (m) : avantage

taux (m) **de mortalité** : pourcentage de personnes qui meurent

sensible : réceptif

Pr : professeur

crèche (f) : établissement où on s'occupe des tout petits enfants pendant que les parents travaillent

pli (m) **est pris** (fam) : l'habitude est prise

congé (m) **de maternité** : congé accordé aux femmes quand elles donnent naissance à un enfant

s'atténuer : devenir moins important(e)

relever de : être la conséquence de

écart (m) : différence

en revanche : au contraire

donner la pêche (fam) : mettre en bonne forme

⁴ **au vu du... chapeau** : à cause de la dimension de leur tête

forcément : nécessairement

calleux : dur et épais

⁵ **éthologiste** (m ou f) : personne qui étudie le comportement (la façon d'être) des espèces

offrant : *ici*, généreux

idem : la même chose

fluctuant : qui change souvent

en herbe (fam) : *ici*, qui ont des dispositions pour quelque chose

boulot (m) (fam) : travail

⁶ **au cours de** : pendant

partage (m) : distribution

en mutation : en changement

agacer : irriter

transfuge (m ou f) : *ici*, personne qui a été élevée dans l'autre sexe

angoissant : cf. angoisse (f), inquiétant

INTERACTION AVEC LE TEXTE

Avant de lire

Compréhension du titre et du sous-titre

Lisez le titre et le sous-titre de ce texte et répondez aux questions suivantes :

1. A quel sexe l'expression le sexe « faible » fait-elle référence ?

2. A votre avis, pourquoi l'adjectif « faible » est-il mis entre guillemets ?

3. L'expression « en principe » s'oppose à une autre expression du sous-titre. Laquelle ?

4. Le mot « match » indique une compétition entre deux adversaires. Ici, qui sont ces adversaires ?

5. Trouvez d'autres mots ou expressions qui expriment aussi cette idée de compétition.

6. Quelle phrase du sous-titre veut dire « la différence entre les deux sexes devient de plus en plus petite » ?

Les idées essentielles

A. Lisez les deux premières phrases de chaque paragraphe. Puis complétez les affirmations suivantes :

Dans cet article, la journaliste compare les _____ et les

_____ .

Autrefois, la majorité des gens pensait que c'était le rôle des femmes d'élever les _____ et que c'était le rôle des hommes dé gagner de l'_____.

L'auteur pose la question de savoir quelles sont les _____ entre les _____ et les femmes. Les gens ont tendance à penser que les hommes sont plus fragiles que les femmes mais que celles-ci sont moins _____.

Le Pr Montagner est _____ : il _____ le comportement des enfants. Il déclare que lorsqu'il observe les bébés, il ne peut pas _____ les filles des _____.

Le Pr Albert Jacquard est d'accord avec lui. Il pense que les _____ ne sont pas entre les _____ mais entre les _____.

B. **Vrai ou faux.**
Lisez rapidement le texte et indiquez si les affirmations suivantes sont vraies ou fausses. Justifiez votre réponse avec une expression du texte.

	V	F
1. Les femmes obtiennent de meilleurs résultats que les hommes à l'école.	☐	☐
Expression : _____		
2. Les femmes sont plus souvent victimes du chômage que les hommes.	☐	☐
Expression : _____		
3. Les hommes passent trois heures et demie par jour aux travaux domestiques.	☐	☐
Expression : _____		
4. Les mères expriment plus de tendresse aux bébés filles qu'aux bébés garçons.	☐	☐
Expression : _____		
5. Les femmes dorment moins que les hommes.	☐	☐
Expression : _____		
6. Le Pr Montagner étudie les maladies des enfants de moins de trois ans.	☐	☐
Expression : _____		

7. Les hommes et les femmes ont vingt-deux paires de chromosomes identiques. ☐ ☐

   Expression : _____

8. L'ethnologue Joëlle Robert-Lamblin étudie les sociétés africaines. ☐ ☐

   Expression : _____

9. Au Groenland, les parents élèvent tous leurs enfants selon leur sexe. ☐ ☐

   Expression : _____

10. Selon Joëlle Robert-Lamblin, pour expliquer la différence entre les sexes, l'inné est plus important que l'environnement. ☐ ☐

    Expression : _____

C. **Qui dit quoi ? Le point de vue des spécialistes.**
   Complétez le tableau ci-dessous en reliant l'auteur de la citation à la paraphrase de celle-ci.

— le Pr Hubert Montagner • — le Pr Albert Jacquard • — le Pr Jean-Didier Vincent • — Joëlle Robert-Lamblin •	• Les différences entre les femmes et les hommes sont moins importantes que les différences entre les individus. • Il n'y a pas de différence entre les comportements des bébés garçons et celui des bébés filles. • Certains parents élèvent leurs enfants non pas selon leur sexe mais selon les besoins de la société. • Ce sont les mères qui ont créé l'image traditionnelle des garçons. • Dans les groupes d'enfants, il y a autant de leaders filles que de leaders garçons. • Les facteurs physiologiques sont insuffisants pour expliquer les différences entre les garçons et les filles. • On a essayé de plusieurs façons de prouver que les sexes n'étaient pas égaux.

<table>
<tr><td></td><th>Les hommes</th><th>Les femmes</th></tr>
<tr><td>Qui obtient les meilleurs résultats en sport ?</td><td></td><td></td></tr>
<tr><td>Qui obtient les meilleurs résultats à l'école ?</td><td></td><td></td></tr>
<tr><td>Qui meurt le plus jeune ?</td><td></td><td></td></tr>
<tr><td>Qui reçoit plus de caresses lorsque il/elle est bébé ?</td><td></td><td></td></tr>
<tr><td>Après l'âge de 7 mois, qui a le plus besoin de dormir ?</td><td></td><td></td></tr>
<tr><td>Qui souffre le plus de maladies chroniques ?</td><td></td><td></td></tr>
<tr><td>Qui est atteint des maladies les plus graves ?</td><td></td><td></td></tr>
<tr><td>Qui résiste le mieux au stress ?</td><td></td><td></td></tr>
<tr><td>Qui est le plus souvent gaucher et dyslexique ?</td><td></td><td></td></tr>
</table>

Analyse des idées

1. Complétez le tableau ci-dessous.

2. Lisez le premier paragraphe. Ce paragraphe est structuré à partir des mots « Avant », « Après », « Aujourd'hui ». Résumez en une phrase simple ce qui suit chacun de ces mots.

3. Retrouvez dans le texte trois croyances populaires fausses à propos des hommes et des femmes (santé ; mortalité ; natalité ; résistance physique, etc.). Faites le résumé de ces informations.

4. Retrouvez trois arguments qui montrent qu'il est difficile de différencier le comportement des jeunes garçons et des petites filles.

5. Relisez la fin du texte (de « Et l'ethnologue conclut... » jusqu'à la fin). Exprimez en vos propres mots la conclusion de l'ethnologue et celle de la journaliste.

Activités orales

1. *Débat.* Pensez-vous que les eskimos ont raison d'élever leurs filles comme des garçons quand c'est nécessaire pour leur société ?

2. *Débat.* Est-ce que dans la société où vous vivez les femmes sont considérées comme les égales des hommes ?

3. *Interview.* Vous interviewez un phallocrate (un homme qui est convaincu que les femmes sont inférieures aux hommes).

Activités écrites

1. *Rédaction.* La journaliste conclut son article en disant « La frontière des sexes serait donc plus aisée à franchir qu'on ne le croit. Angoissant, non ? » Partagez-vous cette angoisse ? Justifiez votre réponse.

2. *Lettre.* Ecrivez une lettre à un(e) des scientifiques cité(e)s dans le texte. Expliquez pourquoi vous vous intéressez à la recherche qu'il/elle est en train de faire.

3. *Analyse d'un sondage.* Voici quelques résultats d'un sondage qui accompagne le texte que vous venez de lire. Résumez les réponses données aux questions et commentez vous-même les conclusions que l'on peut en tirer.

Libres et égales aux hommes ?
Non : 49 %

Dans la Déclaration des droits de l'homme et du citoyen, il est dit que les hommes naissent libres et égaux en droits. Selon vous, aujourd'hui, en France, les femmes sont-elles libres et égales aux hommes ?

Oui	50 %
Non	49
Ne se prononcent pas	1

Elle est plus courageuse : 47 %
Il est plus solide : 56 %

Selon vous, qui, en général, de l'homme ou de la femme, est le plus...

	L'homme	La femme	Ne se prononcent pas
Intelligent	16 %	25 %	59 %
Courageux	28	47	25
Sociable	29	48	23
Intuitif	11	77	12
Sensible	16	70	14
Solide	56	32	12

Patrons ? Oui !
Patronnes ? Mmmh !

Vous, personnellement, préféreriez-vous que votre patron soit un homme ou une femme ?

Une homme	48 %
Une femme	16
Ne se prononcent pas	36

57 % des femmes plébiscitent... un homme. Ce qui s'explique par d'autres critères : plus on est catholique, moins on est actif ; plus on est âgé, plus on se méfie des femmes. Les hommes sont plus « cools » (37 % seulement penchent pour un homme, 63 % s'en moquent). Une tolérance sans risque : les femmes patrons sont denrée rare.

Elles ont
le vent en poupe

Selon vous, depuis vingt ans, qui, dans la société française, a marqué le plus de points : les hommes ou les femmes ?

Les hommes	39 %
Les femmes	53
Ne se prononcent pas	8

Pas si simple : 57 % des hommes se voient comme les « perdants ». Mais seulement 49 % des femmes se voient comme les « gagnantes » du match. 42 % d'entre elles abandonnent la palme aux hommes.

Vocabulaire
plébisciter : désigner ; **pencher pour :** choisir ; **s'en moquent :** ne s'y intéressent pas ; **sont denrée rare :** sont peu nombreuses ; **avoir le vent en poupe :** être poussé vers le succès ; **la palme :** la victoire

La famille :
une idée moderne

Parents, enfants et petits-enfants : permanence de la famille nucléaire.

1 EN PÉRIL, LA FAMILLE ? Allons donc ! Que nos moralistes se rassurent : la famille a résisté à tous les chocs — et Dieu sait s'il y en a eu, ces dernières décennies ! Elle survit, vit et revit. Et reste bien la cellule de base de notre société. Mieux, elle est redevenue une valeur sûre. Plébiscitée par les jeunes, chérie par les parents, défendue par la gauche comme par la droite ! Ses supporters font presque l'unanimité (92 % au dernier sondage Sofres). « Réussir » sa famille, voilà la grande affaire, d'aujourd'hui, le vrai bonheur. Bref, la famille, on aime. C'est douillet, protecteur et commode.

Elle est la valeur refuge, malgré la chute des mariages et l'augmentation des divorces. Le secret de cette vitalité ? Un formidable pouvoir d'adaptation au monde d'aujourd'hui.

2 Une redécouverte ? En partie. Les vieilles maisons familiales ont retrouvé leur charme ; la généalogie, ses adeptes passionnés ; les jeux de société, leurs fans. Mais il y a plus. Beaucoup plus que ces regains de tendresse. Il y a une aspiration profonde, collective, à vivre dans son foyer, à

promouvoir le clan familial. Les sociologues parlent d'un « besoin croissant de famille ». Logique : dans une société en mutation rapide, où l'angoisse est à tous les coins de rue, la famille apparaît comme un refuge. « Où investir, sinon dans la vie privée ? dit le Pr Serge Lemaire, fondateur de l'Association française des conseillers conjugaux. Partout ailleurs, c'est le vide idéologique. Alors, on se replie sur le couple, sur les enfants, dont on attend des choses extraordinaires. »

3 La crise aidant, la famille s'est aussi révélée comme un remarquable réseau de solidarités. Les études s'allongent, il est difficile de trouver du

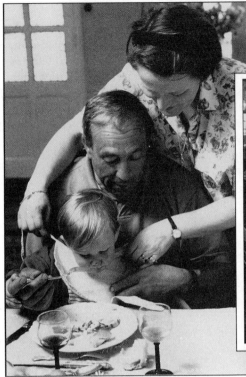

travail ? Les jeunes s'attardent sous le toit familial. Un couple a du mal à s'installer ? Les parents viennent à son secours. Il est malaisé de faire garder les enfants ? Les grands-parents s'instituent baby-sitters. L'Etat-providence s'essouffle, la famille prend le relais.

4 De plus en plus, les parents distribuent de leur vivant — en donation ou en cadeaux — ce que leurs enfants n'auraient eu qu'en héritage. Près des deux tiers des familles bourgeoises et la moitié des familles ouvrières aident ou entretiennent leurs fils ou leurs filles devenus adultes. Et tiennent le rôle de la banque pour acheter un appartement, ou de l'A.n.p.e. pour trouver du travail : 11 % des enfants de cadres et 21 % des enfants d'ouvriers ont obtenu un emploi grâce à leur famille.

5 Etonnante vitalité ! Et, pourtant, quelles secousses a subies le modèle familial depuis quinze ans !

▶ Entre 1972 et 1985, le nombre des mariages chute de 416 000 à 273 000 par an ! Pendant ce temps, celui des divorces grimpe de 43 000 à 109 000. Si l'évolution actuelle se poursuit, un mariage sur quatre aboutira à un divorce.

▶ L'union libre progresse à grands pas : plus d'un million de couples en 1985. A 30 ans, un couple sur dix n'est toujours pas passé par la mairie.

▶ Les naissances illégitimes franchissent, pour la première fois, en 1979, le seuil de 10 % des naissances. En 1984, on atteint déjà 18,5 %, avec 135 000 enfants nés hors mariage.

▶ L'instabilité des unions conduit aux familles monoparentales : un parent seul — le plus souvent une femme —

avec un ou plusieurs enfants. Elles ont progressé de 25 % entre 1975 et 1982. Et représentent plus d'une famille avec enfants sur dix. Phénomène nouveau : les mères y sont plus souvent des divorcées que des veuves. « Une personne sur quatre, a évalué la sociologue Nadine Lefaucheur, fait à un moment ou à un autre de sa vie l'expérience de la famille monoparentale. »

▶ Autre conséquence de l'instabilité : la solitude. 9 % de personnes vivent seules en France, 29 % à Paris. L'augmentation, spectaculaire sur vingt ans (+ 70 %), est essentiellement due aux personnes âgées. Mais la probabilité de vivre seul a doublé aussi chez les jeunes de 20 à 35 ans. Conséquence du divorce. Et du célibat. Celui-ci atteint, aujourd'hui, un taux de 37 %, pour 8 % en 1972. Vrai ou faux célibat ? Les unions libres ne

Natalité : la fin des extrêmes

Sur 100 familles de tout âge et de tout statut...
— 40 ont 1 enfant
— 37 ont 2 enfants
— 16 ont 3 enfants
— 4 ont 4 enfants
— 3 ont 5 enfants et plus.

Mais la manière la plus juste d'établir le nombre d'enfants par famille est encore de considérer uniquement les familles achevées : c'est-à-dire celles dont la mère a atteint 45 ans et qui ne peuvent donc plus s'agrandir. Dans ce graphique, nous avons comparé la taille des familles en 1965 et en 1981. La première colonne se lit ainsi : parmi les femmes âgées de 45 ans en 1965, 16 % n'avaient aucun enfant, 19 % n'en avaient qu'un, etc. Deuxième colonne : parmi celles qui étaient âgées de 45 ans en 1981, 10,5 % n'avaient aucun en-

fant, 17 % n'en avaient qu'un, etc. En quinze ans, le modèle des familles de deux ou trois enfants tend à s'imposer aux dépens des situations extrêmes : il y a moins de familles nombreuses, mais aussi moins d'enfants uniques et, surtout, moins de femmes sans enfant.

Source : Guy Desplanques, démographe à l'Insee.

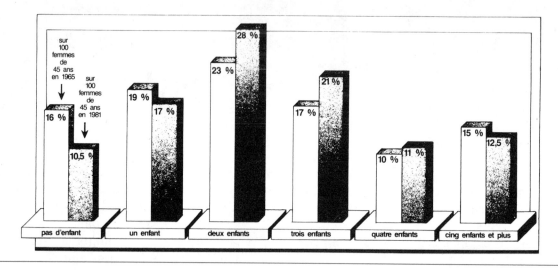

sur 100 femmes de 45 ans en 1965 — sur 100 femmes de 45 ans en 1981

pas d'enfant : 16 % / 10,5 %
un enfant : 19 % / 17 %
deux enfants : 23 % / 28 %
trois enfants : 17 % / 21 %
quatre enfants : 10 % / 11 %
cinq enfants et plus : 15 % / 12,5 %

laissent aucune trace dans les statistiques.

6 Crise du mariage, crise du couple... Tous ces chiffres offrent une image figée, alors que le film est en perpétuel mouvement. Le cycle immuable de la famille nucléaire — fiançailles, mariage, enfants, petits-enfants, veuvage, etc. — n'est plus le seul.

7 Les années post-soixante-huitardes ont été cruciales. La famille, dont le modèle jusqu'alors avait paru immuable, s'est vue devenir la cible de toutes les revendications à plus de liberté, de toutes les aspirations à vivre « autrement ». Les jeunes rejettent l'autorité parentale, les

rites familiaux et le mariage, au nom d'un individualisme roi ou d'un esprit communautaire qui honnit les institutions et prône l'égalité. Au revoir papa, au revoir maman !

8 Plus grave, les femmes basculent dans la contestation : elles refusent désormais le sort qui leur était imposé. Elles veulent s'assumer, choisir leur sexualité et leur maternité, changer leur rôle dans la société. Or, plus elles sont diplômées, actives et cadres, plus elles cohabitent, plus elles se marient et font des enfants tard et plus elles demandent le divorce !

9 Pauvre famille ! Certains la jugent moribonde. Eh bien,

non, elle résiste ! Au prix d'une véritable métamorphose. D'abord, dans le partage de l'autorité et des libertés. L'heure est aux concessions et à la tolérance. Les règles du jeu de la vie quotidienne changent : le four à micro-ondes et le réfrigérateur ouvert à tous, tout le temps, remplacent bien souvent le repas servi à heure fixe sur une table bien dressée. La maison est un lieu de rencontre plus que le fief des parents. La réunion de famille est sans obligation et la fête sans contrainte.

10 Tout repose sur un consensus affectif et très respectueux des libertés de chacun :

fais-moi plaisir, mais touche pas à mes affaires. C'est ce consensus qui a permis, notamment, le fantastique développement de l'union libre chez les jeunes, qualifiée par le sociologue François de Singly de « véritable compromis entre les générations » : celle des jeunes, qui restent à la maison parce que leur insertion professionnelle a pris du retard — études plus longues ou chômage — et celle des parents, heureux d'éviter à leurs enfants un engagement matrimonial précoce, désastreux pour leur carrière.

[11] Révolution dans les mœurs, mais plus encore révolution dans les structures. Il n'y a plus actuellement un modèle de famille, mais des types de familles. Il n'y a plus de normes. Autant d'individus, autant de couples, autant de clans. Chacun choisit maintenant son look familial en toute liberté. Quitte à changer en cours de route. Difficile de cataloguer cette variété. Les sociologues s'accordent pourtant à discerner quatre « variantes » dans la famille moderne.

[12] **1.** Proche de la tradition, la **famille-alliance** est en recul. « Le couple s'engage à maintenir la cohésion du groupe familial, quelles que soient les variations du sentiment amoureux. Et le mariage est l'acte qui scelle cette promesse », explique Louis Roussel. Point de relations sexuelles régulières avant le mariage. Les enfants — le plus souvent trois ou quatre — sont le prolongement indispensable du couple. François P., profession libérale, rentre tard le soir dans sa banlieue résidentielle. Les enfants ont dîné et fait leurs devoirs sous la surveillance de leur mère, qui se consacre à leur éducation. On se retrouve tous les dimanches, pour la messe et le repas familial, rites presque obligés. L'après-midi, on va goûter chez Mamie, à la campagne. A moins que les aînés ne s'échappent au cinéma ou avec leurs copains scouts.

[13] **2.** La **famille-fusion** actuellement est le modèle dominant. Le couple repose sur l'intensité de la relation amoureuse. La vie commune peut commencer avant le mariage. « Le problème n'est plus mariage ou pas, mais enfant ou pas », estime Juliette, 26 ans. On retarde d'ailleurs la naissance de cet enfant, objet d'un désir mûrement réfléchi. On en profite alors pour régulariser la situation. Dans ces familles-là, on partage tout, on se dit tout, on fait tout ensemble : expéditions culturelles, promenades sportives, échanges d'idées. La maison est ouverte à tous les copains des enfants. Mais gare à celui qui se tient à l'écart : la convivialité familiale, c'est un must ! Si, par malheur, les parents constatent que l'ardeur de leur sentiment amoureux faiblit, ils n'hésitent pas et préfèrent sacrifier l'unité familiale pour « refaire leur vie » ailleurs.

[14] **3.** La **famille spontanée** : encore minoritaire, elle est en voie de développement. « Les adeptes de la nouvelle doctrine matrimoniale, explique François de Singly, recherchent l'amour en haute tension, dans le très grand respect de l'autonomie de chacun. » Ils choisissent plus souvent la cohabitation : le sentiment du provisoire garantit l'authenticité et l'intensité des relations. « On se choisit tous les matins. »

[15] Homme ou femme, il n'y a plus de rôle réservé. On se téléphone au bureau : « Il n'y a plus rien dans le frigo, je rentre tard, tu t'en occupes ? » L'une s'échappe pour un dernier weekend à la neige pendant que l'autre emmène les enfants à Trouville. On surveille à tour de rôle la varicelle du petit... Tous deux travaillent, cuisinent, maternent et ont leurs propres distractions.

[16] Exigeante, la nouvelle doctrine. Si exigeante qu'on s'empêtre parfois dans ses contradictions. « Vingt ans de crédit pour acheter la maison, et un fils en commun, ça crée des liens ! » constate Marine, 38 ans, kinésithérapeute. Ces couples ont mis du temps à fonder une famille. Ils ont franchi le pas. Et c'est à eux qu'on doit la récente floraison des naissances illégitimes.

[17] **4.** Les **familles monoparentales** ne sont pas constituées que de victimes, loin de là : on préfère maintenant courir le risque — temporaire — d'être un parent « seul », plutôt que de souffrir la médiocrité d'une union. Pourtant, plus elle avance en âge, plus la femme aura du mal à revenir sur ce choix : elle paie plus cher que l'homme la rançon de son autonomie.

[18] Mais la proportion des mères célibataires — environ 2 % des familles — n'est pas appelée à évoluer : « Cette re-

vendication féminine a vécu, remarque l'analyste Geneviève de Parseval. On n'ose plus délibérément priver un enfant de son père. »

[19] Contrairement à ce qu'ont prétendu certains moralistes, la mobilité et la diversité des nouveaux modèles familiaux n'ont pas que des effets destructeurs. Ni sur les enfants ni sur la fécondité. Encore que cette question fasse l'objet d'un débat passionné. La France accuse un grave déficit démographique, comme la plupart des pays européens : avec un taux de fécondité de 1,8, le remplacement des générations n'est plus assuré. Qui accuser ? La crise ? La civilisation de consommation ? L'I.v.g. ? L'égoïsme contemporain ? L'insuffisance de la politique familiale ? Les meilleurs experts hésitent à trancher.

[20] L'optimisme reste de règle. Par sa capacité d'adaptation, sa flexibilité, sa solidarité, la famille a montré qu'elle pouvait répondre à toutes les exigences de notre époque. Vraiment, la famille, c'est une idée moderne.

ANNE BEAUJOUR ■

EXPLICATIONS

Les connotations culturelles

[1] **la gauche, la droite :** tendances politiques opposées en France

[3] **l'Etat-providence :** l'Etat qui protège les citoyens en leur donnant des aides financières

[4] **l'A.n.p.e. :** l'Agence nationale pour l'emploi, organisation gouvernementale qui aide les chômeurs à trouver du travail

les cadres : catégorie supérieure des employé(e)s d'une entreprise. Ils/elles dirigent le travail des autres employé(e)s.

[7] **les années post-soixante-huitardes :** les années après 1968. En 1968, une révolte des étudiants contre la rigidité sociale et gouvernementale provoque une grève générale des travailleurs en France.

[15] **Trouville :** ville de vacances sur la côte normande

[19] **l'I.v.g. :** l'interruption volontaire de grossesse ; l'avortement

Les mots

chute (f) : *ici,* diminution du nombre; *contr.,* augmentation (f)

[1] **décennie** (f) : période de dix ans
plébiscitée par : *ici,* très populaire chez
douillet : *ici,* confortable
commode : pratique

[2] **adepte** (m ou f) : partisan, défenseur
jeux (m pl) **de société :** jeux comme le monopoly, le scrabble
regain (m) : retour
croissant : de plus en plus grand
Pr : professeur
conseiller (m) **conjugal :** personne qui donne des conseils à des couples en difficulté
se replier sur : trouver refuge dans

[3] **crise** (f) : *ici,* crise économique
à son secours : à son aide
s'essouffler : *ici,* être moins généreux
prendre le relais : *ici,* le remplacer
de leur vivant : quand ils sont encore en vie

[5] **secousse** (f) : *ici,* choc, changement
aboutir à : finir par
passer par la mairie : être légalement marié
union (f) **libre :** couple vivant ensemble sans être marié
célibat (m) : situation des gens qui ne sont pas mariés
taux (m) : *ici,* pourcentage

[6] **figé :** fixe, immobile
immuable : invariable, inchangé

7 **cible** (f) : objectif
revendication (f) : demande vigoureuse
honnit : n'aime pas du tout
prône : *ici*, parle en faveur de

8 **basculent... contestation** : commencent à criti-quer les traditions
sort (m) : destin

9 **l'heure est aux** : *ici*, en ce moment on est favo-rable aux
dressé : *ici*, préparé
fief (m) : domaine
la fête sans contrainte : la fête est sans restric-tions, on s'amuse librement

10 **insertion** (f) **professionnelle** : entrée dans la vie professionnelle
précoce : tôt

11 **quitte à** : même s'il faut

12 **en recul** : en diminution
sceller : *ici*, symboliser, confirmer officiellement
point de : pas de
devoir (m) : exercice scolaire fait à la maison
mamie (f) : grand-mère

13 **régulariser la situation** : *ici*, se marier
gare à celui qui se tient à l'écart (fam) : il est interdit de rester seul

c'est un must : c'est obligatoire
constater : observer

14 **en voie de** : en train de
provisoire : temporaire

15 **à tour de rôle** : chacun à son tour
varicelle (f) : maladie contagieuse
materner : *ici*, s'occuper des enfants

16 **s'empêtrer** : *ici*, se perdre, devenir confus
kinésithérapeute (m ou f) : personne qui donne des massages thérapeutiques
fonder une famille : avoir des enfants
franchir le pas : prendre la décision
floraison (f) : augmentation

17 **rançon** (f) : prix, conséquence

18 **mère** (f) **célibataire** : mère qui n'est pas mariée

19 **prétendre** : affirmer
fécondité (f) : nombre de naissances
accuser un déficit : *ici*, être en déclin
trancher : décider

20 **reste de règle** : *ici*, reste l'attitude qu'il faut avoir
exigences (f pl) : *ici*, pressions

INTERACTION AVEC LE TEXTE

Avant de lire **A la recherche du thème général du texte**

1. Lisez le premier paragraphe.
L'article commence par une question. Faites une paraphrase de cette question. Est-ce que la réponse à cette question est plutôt « oui » ou « non » ?

2. Lisez le cinquième paragraphe, puis complétez les affirmations sui-vantes :

a. Entre 1972 et 1985, le nombre de mariages a _____ et le

nombre de divorces a _____.

b. _____ se définit comme la situation où un couple vit ensemble sans être officiellement marié.

c. Une famille monoparentale est une famille où _____.

d. Il y a plus de gens qui vivent seuls à _____ qu'en province.

3. Lisez les paragraphes onze à dix-huit, puis répondez aux questions suivantes :

    a. D'après les sociologues, combien y a-t-il de types de familles aujourd'hui ?

    b. Quel est le nom donné à chaque type de famille ?

4. Lisez le dernier paragraphe du texte, puis répondez aux questions :

    a. Est-ce que l'auteur de l'article est pessimiste pour l'avenir de la famille ?

    b. Quelles sont les trois qualités essentielles de la famille moderne ?

Les idées essentielles

Lisez maintenant les phrases ci-dessous et décidez à quel(s) type(s) de famille(s) elles font référence. Complétez le tableau en indiquant le numéro de la phrase correspondant à chaque type de famille.

Famille-alliance	Famille-fusion	Famille spontanée	Famille monoparentale
Phrases	Phrases	Phrases	Phrases

1. Ce type de famille est encore en minorité mais augmente régulièrement.

2. Les parents de ce type de famille se séparent sans hésitation dès qu'ils ne sont plus heureux dans leur union.

3. Ce type de famille représente la majorité, le modèle le plus suivi.

4. La mère est responsable de l'éducation des enfants.

5. Le rôle du père et le rôle de la mère ne sont pas clairement différenciés.

6. Les membres de cette famille partagent les mêmes activités.

7. Le dimanche est le jour traditionnel où cette famille fait des choses ensemble.

8. Les enfants peuvent toujours inviter leurs amis chez eux.

9. Dans ce type de famille, c'est l'intensité de l'amour entre l'homme et la femme qui décide s'ils restent ensemble ou se séparent.

10. Les membres de cette famille peuvent faire des choses séparément.

11. Il y a de moins en moins de familles de ce type.

12. La religion a encore un rôle dans la vie de cette famille.

Analyse des idées

A. Répondez aux questions suivantes :

1. Retrouvez dans le texte cinq indications qui montrent que la famille est encore aujourd'hui une idée très populaire.

2. De quelles façons est-ce que la crise économique a renforcé la solidarité financière dans la famille ?

3. Quelle a été l'influence des « années post-soixante-huitardes » sur les jeunes et sur les femmes ?

4. Donnez trois informations qui montrent que la famille moderne a dû se transformer.

B. Complétez le tableau suivant. Répondez par « oui » ou « non » si possible :

	Famille-alliance	Famille-fusion	Famille spontanée	Famille mono-parentale
Est-ce qu'il y a de plus en plus de familles de ce type ?				
Est-ce que, dans ce type de famille, la séparation des parents est quelque chose de possible et d'acceptable ?				
Est-ce que les enfants et les parents de ce type de famille font beaucoup de choses ensemble ?				

Activités orales

1. *Echange d'idées.* La famille est-elle une institution importante dans votre pays ? A-t-elle suivi la même évolution qu'en France ? Donnez des exemples.

2. *Débat.* Pensez-vous qu'aujourd'hui les couples divorcent trop facilement ?

3. *Discussion.* La famille idéale pour moi.

Activités écrites

1. *Rédaction.* Est-ce que la vie familiale est quelque chose d'important pour vous ? Donnez vos raisons.

2. *Dialogue écrit.* Une féministe en faveur de l'union libre et des familles monoparentales discute son idéal avec un(e) partisan(e) de l'idée de « famille-alliance ». Ils/Elles ne sont pas d'accord. Imaginez le dialogue.

3. *Article de journal.* Vous êtes journaliste au magazine « Parents ». En vous aidant du tableau et du texte « Natalité : la fin des extrêmes », vous rédigez un article intitulé « L'évolution des familles françaises entre 1965 et 1981 ».

La génération cocon

*A quoi ressemblent les jeunes ? A leurs parents !
Interrogés tous les dix ans par L'Express,
ils n'ont jamais semblé si sages.
Leur bonheur : un emploi, une famille.*

¹ La jeunesse est notre boule de cristal. Elle dit la relève. Chaque fin de décennie, depuis trente ans, L'Express l'interroge(1). En 1958, les garçons faisaient tout à la fois la guerre dans les Aurès et la nouvelle vague. En 1969, les cadets viennent de remonter les bretelles de l'Histoire. En 1979, les trois « Je veux » de la jeunesse ne cassent plus des briques : ils demandent très poliment une France écologique, un travail sûr, une famille chouette et le moins de goulags possible de par le vaste monde. Aujourd'hui, les jeunes ont achevé leur révolution autour de la galaxie des valeurs. Ils pensent comme leurs géniteurs. Les voilà extrémistes du convenable et du comme-il-faut.

------

(1) Sondage réalisé par l'Ifop auprès d'un échantillon national de 594 jeunes de 15 à 29 ans.

² Je devine vos objections : « Et la "génération morale" des manifestations de 1986 ? », « Et les rassemblements de SOS-Racisme ? » Eh bien, justement, ces jeunes — 61 % sont effectivement partisans d'une morale — ont fait leur devoir de solidarité, mais pas prononcé des vœux éternels en politique militante. De la légitime défense, et basta. Qu'Isabelle Thomas, la gentille porte-parole des étudiants en 1986, soit devenue une star, catapultée notable du PS, les jeunes ne disent pas non. Ils sont d'ailleurs favorables aux mérites de la compétition (69 %, en hausse). Donc, bravo, Isabelle, d'avoir trouvé un bon job ! Mais la langue de bois et les distributions de tracts, très peu pour eux.

Réussir aux études pour avoir une profession qui plaît est la grande priorité des jeunes.

³ Oui, les idéaux s'enrayent. 83 % des jeunes les jugeaient nécessaires en 1978 ; ils sont 69 % aujourd'hui, et 24 % s'en soucient comme d'une guigne. Surprenant, à un âge où l'on a le cœur plus grand que le monde ? Pas vraiment. Depuis les années 60, les jeunes exigeaient d'être reconnus. C'est fait. On parlait, dans les années 70, de « racisme antijeunes ». Ils ont maintenant une carte jeunes. Une sorte de carte vermeil donnant droit à toute une gamme de réductions. Ils avaient déjà un centre information jeunesse, des salles de concert et un ministère, 28 % possèdent même une assurance-vie ! La jeunesse a des droits, la jeunesse existe.

⁴ Puisqu'elle vous le dit ! 53 % ne doutent guère de l'aptitude de cette génération à influencer les destinées du pays ! Contre 32 % en 1968. Comme on voit mal ces jeunes apolitiques occuper le théâtre de l'Odéon et mettre en cortège l'imagination au pouvoir, il faut donc regarder ailleurs. Du côté lobby économique. D'abord, les jeunes consomment beaucoup, ils se sont fait étiqueter « crackers » par les hommes de marketing. Leurs signes deviennent donc vite universels : C'est eux qui « prescrivent » à leurs parents la future chaîne compacte ou la nouvelle marque de yogourt. Oui, décidément, les jeunes pèsent lourd.

⁵ ET LEURS VALEURS prennent un sérieux coup de pompe. Une allure carrément conservatrice. Supersympa, c'est tout ce qui relève, eh oui ! de l'Etat assistance : la protection et l'égalité sociale, le socialisme, la nationalisation... Adieu, les anars !

⁶ On dit les Français petits-bourgeois. Leurs rejetons seraient donc, aujourd'hui, des petits petits-bourgeois. Une histoire d'atavisme ? Non. Les jeunes s'expliquent eux-mêmes sur ce virage frileux et sérieux. En dénonçant, à chaque détour du sondage, leur ennemi public n° 1 : le chômage, loin devant le racisme, très loin devant le sida. Leur idéal ? La réussite professionnelle. Ce qu'ils veulent savoir de leur avenir ? L'emploi. Un leitmotiv, le « chomdu ». Il y a de quoi : 950 000 en sont frappés ! Sur 100 jeunes supposés être entrés dans la « vie active », 25 pointent, 8 ont un emploi précaire et 19 patientent dans un Tuc ou un stage d'initiation à la vie professionnelle.

⁷ Mais alors, direz-vous, pourquoi persistent-ils à s'afficher, à 90 %, comme très ou assez heureux ? Une colle. Une colle à laquelle le sondage Ifop-L'Express apporte un premier élément de réponse qui devrait faire débat : 48 % d'entre eux affirment, en effet, connaître dans leur entourage quelqu'un qui souffre de troubles psychologiques (dépression, boulimie...). Un chiffre alarmant. Les sociologues avaient déjà noté la montée en puissance de la drogue, de l'alcoolisme et, tout simplement, des angoisses graves. Cette fois, c'est certain : ce malaise n'a rien à voir avec la puberté, puisqu'il concerne surtout la tranche des 25-29 ans. Et particulièrement les jeunes filles (53 % !), dont on connaît mieux, maintenant, la tendance à la « délinquance alimentaire », à la boulimie, et le recours massif aux médicaments coupe-faim, coupe-fatigue, coupe-nervosité...

⁸ Nos jeunes aspirants au bonheur portent beau en société et dégustent en solitaire leur mal-vivre. La frénésie vestimentaire, les maquillages, les relookages incessants de ces pseudo-grands viveurs ne trompent plus. Eux qui considèrent l'amitié comme la deuxième condition du bonheur, derrière le travail, ont près de trois fois moins de relations avec les voisins que leurs aînés !

⁹ Le bon vieux compromis, on ne connaît que lui, c'est la famille. Le cocon sublime. Le seul qui vaille vraiment qu'on risque sa peau : 52 % le pensaient en 1968, 84 % en 1988. Cette griserie du foyer conjugal devant le chauffage central, rebaptisée « cocooning », semble donc à la hausse. Encore qu'elle n'ait jamais été à la baisse dans nos sondages précédents. Y compris la fidélité que les soixante-huitards décrétaient « essentielle » à 86 % ! Après tout, l'amour à 20 ans, c'est l'amour toujours. Tout est dit, et ça ne fait quand même pas un phénomène de société.

¹⁰ Pas plus que l'engouement des post-adolescents — c'est leur nom clinique à partir de 18 ans jusqu'à... la trentaine — pour l'Europe. Bon, d'accord, 78 % quitteraient la France si on leur offrait un travail chez nos voisins. Pour preuve de leur « realpolitik », les jeunes citent, comme pays d'accueil privilégié, l'opulente et pas forcément désopilante RFA. On leur parle gouvernement unique des Douze ? Ils s'en tapent, et répondent économie. Comme tout le monde.

GUILLAUME MALAURIE ∎

Tableaux comparatifs des sondages

Le bonheur

Estimez-vous que vous êtes :

	1957	1968	1978	1988
Très heureux	24 %	35 %	34 %	29 %
Assez heureux	61	54	59	61

Qu'est-ce qui vous paraît le plus important, dans cette liste, pour que des gens comme vous vivent heureux aujourd'hui ?

	Cité en 1er	Cité en 2e	Cité en 3e	Total
Avoir une profession qui plaît	44	25	12	81
Avoir des amis	17	16	14	47
Etre bien logé	16	15	11	42
Pouvoir continuer de s'instruire	5	11	18	34
Avoir des enfants	5	9	11	25

Trouvez-vous que vous avez plutôt de la chance, ou non, de vivre à l'époque actuelle ?

	1957	1968	1978	1988
Plutôt de la chance	53 %	77 %	71 %	68 %

Considérez-vous que les études que vous faites (ou avez faites) vous donneront (ou vous ont donné), pour réussir votre vie, une formation... ?

	1957	1978	1988
Excellente	6 %	5 %	7 %
Satisfaisante	53	50	42
	59	55	49

Les générations

Croyez-vous que votre génération sera très différente, ou non, de celle de vos parents ?

	1957	1978	1988
Très différente	16 %	74 %	80 %

Vivez-vous encore chez vos parents ?

Oui	47 %
Dont :	
15-19 ans	92
20-24 ans	40
25-29 ans	9

Pensez-vous que les gens de votre génération peuvent avoir une influence (réelle ou relative) sur les destinées de la France ?

	1957	1968	1978	1988
Oui	20 %	32 %	45 %	53 %

Les valeurs

Pour chacun des mots et des idées suivants, dites s'il représente pour vous plutôt quelque chose que vous aimez, qui vous est sympathique, ou plutôt quelque chose que vous n'aimez pas ?

	Sympathique
Protection sociale	86 %
Egalité sociale	82
Libéralisme	67
Morale	61
Socialisme	46
Nationalisation	41
Nationalisme	38
Religion	38
Laïcité*	37
Christianisme	31
Individualisme	28
Privatisation	27
Gaullisme	23
Capitalisme	23
Communisme	14

*Principe de séparation de la société civile et de la société religieuse.

Les idéaux

Croyez-vous qu'il soit nécessaire d'avoir un idéal ?

	1957	1978	1988
Oui	78 %	83 %	69 %

Si oui, quel est votre idéal ?

La réussite professionnelle et familiale	34 %

Est-il une chose pour laquelle vous seriez prêt à risquer votre vie ?

	1957	1968	1978	1988
Oui	41 %	58 %	52 %	59 %

Parmi les valeurs suivantes, pour lesquelles seriez-vous prêt à risquer votre vie ? (Question posée à ceux qui ont répondu « oui ».)

	1968	1988
Pour votre famille	52 %	84 %
Pour défendre votre pays	20	18
Pour changer la société	10	14
Pour défendre la société actuelle	4	6

Les progrès de l'humanité

Comment considérez-vous le progrès scientifique et technique ? Diriez-vous qu'il apporte à l'humanité plus d'avantages que d'inconvénients ?

	1978	1988
Oui	52 %	67 %

Parmi les catégories de personnes suivantes, quelles sont celles qui peuvent actuellement contribuer le plus au progrès de l'humanité ?

	1968	1988
Les hommes de science	72 %	67 %
Les enseignants et les éducateurs	56	40
Les citoyens de tous les pays	41	40
Les économistes	26	24
Les hommes politiques	40	22

Croyez-vous que vous verrez de votre vivant une nouvelle guerre mondiale ?

Oui	15 %
Non	70
Sans opinion	15

L'Europe

Vous, personnellement, si on vous en offrait la possibilité, accepteriez-vous d'aller travailler ou étudier dans un pays européen autre que la France ?

Oui, certainement	50	78 %
Oui, peut-être	28	

Si oui, lequel ?

RFA	18 %
Grande-Bretagne	14
Espagne	12
Italie	10

Vous sentez-vous d'abord... ?

Français	77 %
Européen	18

Estimez-vous que la France soit, par rapport aux autres pays européens, plutôt mieux préparée, plutôt moins bien préparée, ni mieux ni moins bien préparée pour l'ouverture du grand marché européen de 1993 ?

Plutôt mieux préparée	12 %
Plutôt moins bien préparée	29
Ni mieux ni moins bien préparée	48
Sans opinion	11

EXPLICATIONS

Les connotations culturelles

[1] **la guerre dans les Aurès :** la guerre d'indépendance en Algérie (1954 à 1962). A cette époque, beaucoup de jeunes Français ont fait leur service militaire dans l'armée française en Algérie.

la nouvelle vague : la génération de jeunes nés après la Deuxième Guerre mondiale. Par leur nombre, ces jeunes ont constitué une classe sociale qui a imposé ses goûts et ses modes à toute la société française.

remonter les bretelles de l'Histoire (fam) : *ici,* participer à un événement historique important. Il s'agit des « événements de mai 1968 » (révolte des étudiants et des jeunes).

le goulag : mot russe qui décrit les camps où les prisonniers politiques font des travaux forcés

[2] **les manifestations de 1986 :** En 1986, les étudiants ont protesté contre un projet de réforme de l'enseignement universitaire. Le gouvernement a fini par renoncer à ce projet.

S.O.S. Racisme : organisation qui lutte contre le racisme. Beaucoup de jeunes font partie de cette organisation (voir p. 49).

une star... du PS (Parti Socialiste) : Après les manifestations de 1986, Isabelle Thomas a été nommée à un poste à l'Elysée (les bureaux du président de la République).

[3] **la carte vermeil :** carte officielle donnée aux personnes âgées et qui leur permet d'avoir des réductions dans les transports publics, etc.

[4] **occuper le théâtre de l'Odéon :** Pendant leur révolte en 1968, les étudiants ont occupé le théâtre de l'Odéon dans le Quartier latin à Paris. Un slogan célèbre créé par les manifestants en 1968 est « l'imagination au pouvoir » (c'est-à-dire, il faut adopter des idées originales, nouvelles).

[5] **l'Etat assistance :** l'Etat-providence ; l'Etat qui protège les citoyens financièrement contre la maladie par la « sécurité sociale », contre le chômage par des allocations, etc.

la nationalisation : Après les élections de 1981, le nouveau gouvernement socialiste a nationalisé certaines entreprises; *contr.,* la privatisation

[6] **la vie active :** la vie du travail

un Tuc : un travail d'utilité collective pour les jeunes qui sont au chômage (voir p. 14)

[9] **les soixante-huitards :** les jeunes qui ont participé aux « événements de mai 1968 »

[10] **la RFA :** la République fédérale d'Allemagne

les Douze : les douze pays membres de la C.E.E. (Communauté économique européenne)

Les mots

cocon (m) : *ici,* qui aime le confort et la vie traditionnelle

[1] **relève** (f) : *ici,* avenir, ce qui va arriver

ne cassent plus des briques (fam) : *ici,* ne sont plus très originales

chouette (fam) : agréable, beau

leurs géniteurs (fam) : *ici,* leurs parents

extrémistes du convenable et du comme-il-faut : *ici,* très conservateurs et attachés aux conventions sociales

[2] **partisans de :** en faveur de

prononcer des vœux éternels : se marier ; *ici,* s'engager pour toujours

basta : mot italien qui signifie « assez »

langue (f) **de bois :** *ici,* langage habituel des hommes politiques

très peu pour eux : *ici,* ils n'en veulent pas, cela ne les intéresse pas

[3] **s'enrayer :** *ici,* être en baisse, diminuer

s'en soucier comme d'une guigne (fam) : ne pas s'y intéresser du tout

gamme (f) : série

[4] **mettre en cortège :** *ici,* proclamer

étiqueter : *ici,* appeler

[5] **prendre un sérieux coup de pompe** (fam) : *ici,* changer profondément

carrément : franchement

supersympa (fam) : extrêmement sympathique, agréable

relever de : *ici,* venir de

anars (fam) : anarchistes

[6] **leurs rejetons** (fam) : leurs enfants

atavisme (m) : hérédité

virage (m) : changement

frileux : qui manque d'audace

détour (m) : *ici,* moment

sida (m) : Syndrome Immuno-Déficitaire Acquis ; maladie qui détruit les résistances du corps aux infections

chomdu (m) (fam) : chômage

25 pointent (fam) : *ici,* 25 sont au chômage

[7] **colle** (f) (fam) : question très difficile

boulimie (f) : maladie où la victime veut toujours manger

tranche (f) : *ici,* groupe

[8] **porter beau** (fam) : *ici,* donner une bonne impression

déguster en solitaire : *ici,* subir en privé

mal-vivre (m) : absence de bonheur

relookages (m pl) (fam) : changements d'apparence extérieure (vêtements, coiffures, etc.)

pseudo-grands viveurs (m pl) (fam) : personnes qui donnent l'impression de bien vivre alors qu'elles sont en crise

ne trompent plus : ne font plus commettre d'erreurs

9 **sublime** : fantastique

risquer sa peau : prendre beaucoup de risques

griserie (f) : fascination

encore que : bien que

baisse (f) : diminution; *contr.,* hausse (f)

phénomène (m) **de société :** tendance générale de la société

10 **engouement** (m) : passion, fascination

realpolitik (m) : *ici,* sens des valeurs pratiques

pays (m) **d'accueil privilégié :** *ici,* pays où ils préféreraient aller

opulente... désopilante : riche et pas nécessairement amusante

s'en taper (fam) : s'en désintéresser

INTERACTION AVEC LE TEXTE

Avant de lire

Compréhension du titre et du sous-titre

Lisez le titre et le sous-titre et répondez aux questions suivantes :

1. De quelle catégorie sociale est-ce qu'il sera question dans l'article ?

2. Est-ce que les membres de cette génération ressemblent à leurs parents ?

3. Qu'est-ce que L'Express fait tous les dix ans en ce qui concerne les jeunes ?

4. Quel adjectif est utilisé pour décrire les jeunes d'aujourd'hui ?

5. Quels sont les deux éléments importants du bonheur des jeunes interrogés ici ?

6. Pouvez-vous maintenant faire une hypothèse sur le sens du mot « cocon » dans ce contexte ?

Les idées essentielles

Lisez l'article, puis faites les activités qui suivent.

A. **Vrai ou faux ?**

Justifiez votre réponse en citant une expression du texte.

Les jeunes d'aujourd'hui:

	V	F
1. ... ont les mêmes idées que leurs parents.	☐	☐

Expression : _____

	V	F
2. ... adoptent tous une politique militante extrémiste.	☐	☐

Expression : _____

	V	F
3. ... ne sont pas contre l'idée de compétition.	☐	☐

Expression : _____

4. ... sont reconnus comme faisant partie d'un groupe qui a ses propres caractéristiques. ☐ ☐

   Expression : _____

5. ... sont de grands consommateurs. ☐ ☐

   Expression : _____

6. ... ont peur du chômage. ☐ ☐

   Expression : _____

7. ... se considèrent heureux. ☐ ☐

   Expression : _____

8. ... rejettent l'idée de famille. ☐ ☐

   Expression : _____

B. Regardez les « Tableaux comparatifs des sondages » et expliquez ce qui permet au journaliste de tirer les conclusions suivantes :

1. Chez les jeunes de 1988, les idéaux sont en baisse.

2. Un grand pourcentage de jeunes en 1988 pense que leur génération peut influencer l'avenir de la France.

3. La plupart des jeunes disent qu'ils sont très ou assez heureux.

4. Un plus grand pourcentage de jeunes en 1988 considère que la famille est une valeur extrêmement importante.

5. La plupart des post-adolescents quitteraient la France pour aller travailler ou étudier dans un autre pays d'Europe.

Analyse des idées

1. Qu'est-ce que les jeunes voulaient en 1979 ?

2. Qu'est-ce qui caractérise leurs attitudes aujourd'hui ?

3. Qu'est-ce que l'exemple d'Isabelle Thomas nous apprend sur les nouvelles valeurs des jeunes ?

4. Trouvez trois détails qui indiquent que les droits des jeunes sont reconnus aujourd'hui.

5. Pourquoi est-ce que, en matière de consommation, les hommes de marketing s'intéressent aux jeunes ?

6. Quelle est l'attitude des jeunes envers le rôle de l'Etat ?

7. Pourquoi le chômage est-il « l'ennemi public n° 1 » des jeunes ?

8. 90 % des jeunes disent qu'ils sont heureux. Est-ce que dans la réalité ceci est tout à fait vrai ? Quels détails donnés dans le texte indiquent que certains jeunes ont des problèmes ?

9. Est-ce que le concept de « cocooning » est devenu plus populaire pour les jeunes, aujourd'hui ? Justifiez votre réponse.

10. Qu'est-ce qui montre que les jeunes Français s'intéressent davantage à l'Europe économique qu'à l'Europe politique ?

Activités orales

1. *Dialogue.* Deux jeunes discutent ensemble de leurs espoirs et de leurs angoisses pour l'avenir : l'un(e) est optimiste, l'autre pessimiste.

2. *Discussion.* Conflit de génération : Deux jeunes parlent avec leurs parents. Les parents pensent que les jeunes d'aujourd'hui ont la vie plus facile que les jeunes de leur génération. Les enfants ne sont pas d'accord.

3. *Débat.* Qu'est-ce qu'« être jeune » signifie pour vous ?

Activités écrites

1. *Rédaction.* Quels sont les idéaux des jeunes de votre pays ?

2. *Commentaires d'un sondage.* A partir des informations contenues dans les « Tableaux comparatifs des sondages » écrivez deux paragraphes sur le thème « Ce qui est important pour les jeunes ». Dans le premier paragraphe, vous résumez les informations contenues dans le sondage. Dans le deuxième paragraphe, vous faites des commentaires personnels sur ces informations.

3. *Article de journal.* En vous aidant des informations contenues dans les « Tableaux comparatifs des sondages », écrivez un article de journal intitulé : « L'évolution des idéaux des jeunes Français » ou « Les attitudes des jeunes Français envers les progrès de l'humanité ».

A TRAVERS LA FRANCE

12 villes pour vivre mieux

Il bouge, il bouge, l'Hexagone. En vingt ans, le regain d'urbanisation a profondément modifié le match Paris-province. Les voici, ces villes qui ne font plus de complexes. L'Express a comparé leurs performances. Suivant trois critères : la vitalité économique, l'emploi et la qualité de la vie.

Grenoble : une rivière, l'Isère, traverse la ville.

'était il y a un an. Une campagne de publicité fracassante. Une ville « de province » osait se dire « surdouée ». Et étalait, au fil des pages de la presse française et aussi — audace incroyable — des journaux étrangers, ses atouts et ses attraits. D'autres campagnes, plus hexagonales celles-là, suivaient, avec d'autres slogans : après Montpellier la surdouée, Grenoble, « une chance pour la France » ; Toulouse, « la ville qui gagne » ; Bordeaux, « le futur a sa base ». Signes média-

Montpellier : les jardins publics.

Strasbourg : une architecture pittoresque.

Rennes : un festival de musique.

Lyon, fondé en 43 avant Jésus-Christ : aujourd'hui troisième ville de France et métropole européenne.

tiques d'une vitalité nouvelle, mais, surtout, manifestation d'un changement profond. La France d'aujourd'hui est la France des villes et non plus celle d'une ville, Paris.

2 Centres d'attraction pour les cadres, lieux de création d'entreprises et de culture, partenaires économiques de la course à l'an 2000, ces villes constituent l'un des atouts majeurs de la France d'aujourd'hui. Et, puisqu'elles affichent leurs qualités pour attirer les sociétés et les hommes, il était tentant d'établir entre elles des critères de comparaison. L'Express s'est lancé dans l'enquête et, pour arbitrer ce match, a élaboré les statistiques les plus diverses.

3 Notre souci a été de donner à chaque type de villes — grandes ou moyennes, anciennes ou

modernes — une ou des représentantes. Et de ne privilégier aucune région, bien que le regain d'urbanisation soit plus sensible au sud de la Loire qu'au nord. Finalement, douze villes se retrouvent en compétition face à Paris : Bordeaux, Grenoble, Lille, Lyon, Marseille, Montpellier, Nancy, Nantes, Nice, Rennes, Strasbourg et Toulouse.

4 Villes en apparence incomparables, ne serait-ce que par leurs dimensions, leurs populations, leur histoire et leur caractère, mais villes qui participent toutes de cette explosion urbaine des vingt dernières années, de cette grande mutation économique.

5 ▶ **Premier atout décisif : la vitalité économique.** Les métropoles régionales se sont donné

les moyens de faire face à la concurrence de Paris : main-d'œuvre de qualité et cadres de haut niveau ont constitué des attraits. Pionnière des provinciales de choc, Grenoble a ainsi misé, il y a plus de quinze ans, sur la recherche et la haute technologie. D'autres ont suivi cet exemple. Notamment avec la création des technopoles. Dans leur effort de développement, les grandes villes de province ont joué la carte du tertiaire. Elles ont su profiter de la décentralisation des administrations et des grandes entreprises. Nantes a ainsi vu débarquer dans ses murs des services de l'état civil, du casier judiciaire, des affaires étrangères, du budget et, en prime, le siège de la Société générale.

6 Mais il n'est pas de développement économique sans bonnes voies de communication. Le T.g.v. en a été la preuve. Mais seule Nice peut se targuer d'un vol direct pour New York. En revanche, il faut plus de sept heures de train pour aller de Lille à Nancy.

7 Les métropoles régionales ont compris que la compétitivité se joue non plus dans le cadre hexagonal, mais au niveau international. « La rivalité Paris-province, c'est du passéisme, estime André Soulier, premier adjoint au maire de Lyon. Désormais, nos concurrentes s'appellent Francfort, Milan, Barcelone. »

8 ▶ **Deuxième atout : l'emploi.** Ces villes ont des emplois de qualité à offrir. Un signe entre mille : voilà six ans qu'Egor, l'une des plus importantes sociétés de recrutement, a jugé nécessaire d'installer un réseau de filiales en province. Elle réalise déjà la moitié de son chiffre d'affaires hors de Paris.

9 Nombreux sont à présent les jeunes ingénieurs et cadres qui, voulant faire le « pari de la province », lorgnent vers ces métropoles. « Pour la qualité du travail et pour vivre mieux en famille », dit l'un d'eux.

10 Aussi, actuellement, l'attraction exercée par Paris sur les cadres est-elle à peine plus forte que celle des grandes villes du sud de la France, héliotropisme oblige. Mais si, malgré leurs réserves, des ingénieurs vont s'installer dans le Nord ou l'Est, ils sont de plus en plus tentés d'y rester : « Je préfère la chaleur des gens du Nord à la superficialité fantaisiste des Méditerranéens », témoigne Frédéric P., né à Béziers voilà 44 ans, cadre dans une société d'investissement à Lille.

11 Désormais, passer quelques années à Marseille, à Lyon ou à Lille constitue un « plus » dans une carrière. Car ces grandes villes offrent souvent, dans des secteurs spécialisés, des emplois de haut niveau : pour le nucléaire à Grenoble, les télécommunications à Rennes, la recherche médicale à Montpellier, l'aéronautique à Bordeaux et à Toulouse.

12 ▶ **Troisième atout : la qualité de la vie.** La croissance économique ne suffit pas. Pour réussir, les villes doivent être productrices non seulement d'emplois, mais aussi de confort, de loisirs et de culture, d'échanges et de dialogue. Tout ce qui fait justement la qualité de la vie. Ensemble complexe de données où l'on peut distinguer :

13 — **Le logement.** Pour beaucoup de Parisiens fraîchement débarqués, la province, c'est d'abord et toujours un logement plus grand et moins cher.

14 Les villes françaises ont évité le phénomène de désertification à l'américaine. Il y a eu simplement un allégement de la densité de population dans les centres villes. Les logements plus grands, les zones piétonnières, la circulation plus fluide ont rehaussé le standing de l'espace urbain. Résultat : vingt ans après le slogan du retour à la nature, on se remet à aimer la ville.

15 Cette ville qui offre aussi tous les équipements nécessaires à l'équilibre du corps et de l'esprit. Tennis, salles de sport, golf sont d'accès facile, et à des coûts abordables.

16 Et la campagne, la mer ou la montagne sont aux portes de la ville. Voile, ski, marche, on a tout sous la main.

17 — **Le loisir.** Le confort de la vie, c'est aussi les magasins, la mode, le luxe. Au hit-parade de la mode viennent, en tête, Bordeaux et Lyon, les plus bourgeoises. Puis Toulouse et Nancy, les plus branchées. Enfin Nantes. Nice — Côte d'Azur oblige — est la seule à offrir un « faubourg Saint-Honoré » où se côtoient Chanel, Dior, Vuitton… pour sa clientèle cosmopolite.

18 Mais la qualité de la vie ne se mesure pas seulement en quantité d'équipements et de magasins. Quand on sort le soir, il faut aussi que la ville propose des lieux ouverts où l'on puisse voir, être vu, et discuter. La qualité de la ville, c'est ce qu'il y a en plus : le plaisir des vieilles pierres et, surtout, le libre accès à une culture vivante. Quel changement, là aussi, depuis

vingt ans ! Des cinémas qui affichent les mêmes exclusivités qu'à Paris, des musées qui attirent les amateurs de toute l'Europe, des festivals et des Opéras.

[19] La province traditionnelle, certes, existe encore. Le milieu grand-bourgeois du quai des Chartrons et celui des vieilles familles de la place de la Carrière sont toujours aussi fermés. Mais quand un cadre s'installe à Bordeaux ou à Nancy, son équilibre de vie ne dépend plus d'eux. C'est par l'intermédiaire du club de tennis, de l'entreprise ou de l'université que l'on s'intègre à la ville. D'où l'émergence de ces nouveaux citadins, plus mobiles, plus exigeants, qui sont les véritables décideurs et qui ont pris la vie sociale en main. Un nouveau type de provincial est né. Moins différent du Parisien qu'il ne l'était. L'écart s'est réduit en même temps que les distances. En une heure d'avion ou deux heures de T.g.v., on peut signer un contrat, négocier avec un ministère ou assister à une première. Bonjour Paris !

[20] Les nouveaux provinciaux ont la conviction d'avoir fait un choix éclairé : celui de l'équilibre. Equilibre entre la réussite professionnelle, la famille et les loisirs. Les trois valeurs clefs des Français, aujourd'hui. A Paris, on court désespérément derrière les trois, pour, au bout du compte, en sacrifier deux. Le pari des grandes villes de province, c'est de les concilier toutes.

ANNE BEAUJOUR
et GENEVIÈVE LAMOUREUX ■

Tableaux comparatifs

Une nouvelle race de citadins			
Espace vital		**Venus d'ailleurs**	
Nombre d'habitants au kilomètre carré intra-muros. *		*Nombre d'habitants venus d'autres régions de France.*	
Habitants/km²		**En %**	
Toulouse	2 940	Nice	49
Strasbourg	3 180	Montpellier	46
Montpellier	3 470	**Paris**	**41**
Marseille	3 630	Toulouse	39
Nantes	3 690	Grenoble	37
Rennes	3 860	Bordeaux	35
Bordeaux	4 220	Marseille	32
Nice	4 690	Lyon	26
Nancy	6 420	Nantes	26
Lille	6 640	Strasbourg	21
Lyon	8 630	Lille	11
Grenoble	8 640		
Paris	**20 650**		

*intra-muros : à l'intérieur du périmètre de la ville

Matière grise			
Haute qualification		**L'atout des études**	
Proportion de cadres, ingénieurs, chercheurs et techniciens dans la population active.		*Nombre d'étudiants et d'élèves de plus de 14 ans sur 100 habitants de l'agglomération.*	
En %		**En %**	
Paris	**18,8**	Montpellier	16
Grenoble	16,9	Rennes	14
Toulouse	16,0	Toulouse	13
Montpellier	15,2	Grenoble	12
Lyon	14,1	Nancy	11
Nancy	14,0	Bordeaux	10
Nantes	13,9	Nantes	10
Strasbourg	13,9	Strasbourg	10
Rennes	13,6	Lille	9
Bordeaux	13,4	Lyon	9
Lille	11,4	Marseille	9
Marseille	10,7	**Paris**	**8**
Nice	10,2	Nice	7

Dégustez... éliminez			
Bonnes tables		**Mise en forme**	
Nombre total de fourchettes* accordées aux restaurants.		*Nombre de clubs et complexes sportifs pour 100 000 habitants.*	
Paris	**731**	Nantes	23
Lyon	114	Grenoble	16
Lille	66	Nancy	14
Nantes	62	Nice	14
Nice	53	Strasbourg	13
Strasbourg	49	Bordeaux	10
Marseille	47	Marseille	10
Toulouse	44	Montpellier	9
Bordeaux	43	Rennes	7
Grenoble	41	Toulouse	7
Rennes	33	Lille	4
Nancy	24	**Paris**	**3**
Montpellier	23	Lyon	2

*fourchettes : dans les guides, le symbole de la fourchette est utilisé pour classer les restaurants. Les meilleurs restaurants reçoivent plus de fourchettes que les autres.

EXPLICATIONS

Les connotations culturelles

l'Hexagone : la France. On dit que la France ressemble à un hexagone par sa forme.

le match Paris-province : pour beaucoup d'étrangers, Paris représente la France mais seulement 15 % des Français vivent dans la capitale. La rivalité traditionnelle entre Paris et la province est aujourd'hui modifiée par la croissance rapide de certaines grandes villes de province qui prennent une dimension européenne.

[1] **hexagonal(e) :** français(e) ; limité(e) à la France

[2] **les cadres :** catégorie supérieure des employé(e)s dans une entreprise. Ils/elles dirigent le travail des autres employé(e)s.

[3] **la Loire :** fleuve qui traverse le centre de la France. On dit que la Loire marque la séparation symbolique entre le nord et le sud de la France.

[5] **la technopole :** voir « Les beaux jours des technopoles », p. 105

le tertiaire : le domaine économique des services

les services de l'état civil... budget : les bureaux de ces services publics se trouvaient auparavant à Paris

la Société générale : une grande banque française

[6] **le T.g.v. :** le train à grande vitesse

[7] **dans le cadre hexagonal :** à l'intérieur de la France

[10] **Béziers :** ville du sud de la France

[14] **la désertification à l'américaine :** référence au fait que le centre de certaines grandes villes américaines est devenu un « désert » car la plupart des habitants en sont partis

les zones piétonnières : parties de la ville réservées aux piétons et dont les voitures sont exclues

17 **Côte d'Azur oblige :** à cause de la Côte d'Azur qui a une image chic
le faubourg Saint-Honoré : rue chic à Paris

18 **les vieilles pierres :** les bâtiments anciens
19 **le quai des Chartrons :** à Bordeaux
la place de la Carrière : à Nancy
un ministère : les ministères du gouvernement se trouvent à Paris

Les mots

bouger : *ici*, changer, évoluer
regain (m) : développement nouveau

1 **fracassant :** bruyant
surdoué : extrêmement doué ; qui a un très grand nombre de qualités
étaler : montrer
atout (m) : avantage
médiatique : associé aux médias

2 **afficher :** *ici*, montrer, exhiber

3 **souci** (m) : *ici*, intention
sensible : *ici*, évident

4 **ne serait-ce que :** même si ce n'était que
mutation (f) : transformation

5 **moyens** (m pl) : ressources
main-d'œuvre (f) : ensemble des employées et des ouvriers
provinciales (f pl) **de choc :** villes provinciales qui ont mené le combat
miser sur : *ici*, choisir
jouer la carte du : donner la priorité au
débarquer (fam) : arriver
en prime : en plus

6 **se targuer :** se flatter
en revanche : par contre

7 **passéisme** (m) : attachement au passé

8 **réseau :** répartition d'une organisation en différents points
filiale (f) : branche, succursale

9 **pari** (m) : *ici*, choix
lorgner vers : *ici*, être attiré par

10 **héliotropisme oblige :** à cause du climat ensoleillé
tenté de : incité à

12 **croissance** (f) **économique :** expansion économique
justement : précisément
donnée (f) : fait

14 **allégement** (m) : *ici*, diminution
rehausser : *ici*, augmenter
se remettre à : recommencer à

15 **à des coûts abordables :** *ici*, ne coûtent pas trop cher

16 **voile** (f) : *ici*, faire du bateau à voile

17 **branché :** à la mode
hit-parade : *ici*, classement
se côtoyer : se trouver l'un à côté de l'autre

18 **exclusivité** (f) : film qu'on projette pour la première fois

19 **écart** (m) : différence

20 **éclairé :** intelligent
valeurs (f pl) **clefs :** valeurs les plus importantes
au bout du compte : enfin

INTERACTION AVEC LE TEXTE

Avant de lire Compréhension du titre et du sous-titre

Lisez le titre et le sous-titre. Indiquez si les affirmations suivantes sont vraies ou fausses. Justifiez votre réponse en citant une expression tirée du titre ou du sous-titre.

	V	F
1. La qualité de la vie est meilleure dans les douze villes.	☐	☐
Expression : _____		
2. La rivalité entre Paris et la province ne change pas.	☐	☐
Expression : _____		
3. Douze villes « de province » ont aujourd'hui un complexe d'infériorité envers Paris.	☐	☐
Expression : _____		
4. L'enquête de L'Express établit trois points de comparaison entre ces villes.	☐	☐
Expression : _____		

Les idées essentielles

Vrai ou faux ?

Justifiez votre réponse en citant une expression du texte.

	V	F
1. La ville de Montpellier a fait une campagne publicitaire sur le thème de ses nombreuses qualités.	☐	☐
Expression : _____		
2. La ville de Paris ne domine plus toutes les villes de France.	☐	☐
Expression : _____		
3. Les villes « de province » ne joueront pas de rôle important dans l'avenir de la France.	☐	☐
Expression : _____		
4. Les douze villes n'ont pas beaucoup grandi depuis 20 ans.	☐	☐
Expression : _____		

La vitalité économique

	V	F
5. Ces villes sont des centres économiques très dynamiques.	☐	☐
Expression : _____		
6. Le nombre de gens travaillant dans des bureaux a beaucoup augmenté dans ces villes.	☐	☐
Expression : _____		
7. Il y a des transports rapides entre toutes ces villes.	☐	☐
Expression : _____		

8. Ces villes françaises ne sont plus en compétition avec Paris mais avec les grandes villes européennes. ☐ ☐

   Expression : _____

L'emploi

9. On peut trouver des emplois intéressants dans ces douze villes. ☐ ☐

   Expression : _____

10. Les grandes villes du sud de la France n'attirent pas particulièrement les cadres. ☐ ☐

   Expression : _____

11. Passer une partie de sa carrière dans une grande ville de province constitue aujourd'hui un avantage. ☐ ☐

   Expression : _____

La qualité de la vie

12. Les appartements dans ces villes sont en général aussi grands et aussi chers qu'à Paris. ☐ ☐

   Expression : _____

13. Dans le centre de ces villes, il y a des rues où les voitures n'ont pas le droit de circuler. ☐ ☐

   Expression : _____

14. Il est plus facile de pratiquer des sports dans ces villes. ☐ ☐

   Expression : _____

15. On trouve des magasins de luxe seulement à Paris. ☐ ☐

   Expression : _____

16. Si l'on veut participer à des activités culturelles, il faut aller à Paris. ☐ ☐

   Expression : _____

17. La vie sociale des nouveaux habitants dépend de la grande bourgeoisie de ces villes. ☐ ☐

   Expression : _____

18. Les nouveaux habitants de ces douze villes ont réussi à trouver un style de vie équilibré entre le travail, la famille et les loisirs. ☐ ☐

   Expression : _____

Analyse des idées

A. 1. Pourquoi est-ce que Montpellier, Grenoble, Toulouse et Bordeaux ont lancé des campagnes de publicité ? Quel thème a été choisi par chaque ville ? Qu'est-ce que ces thèmes ont en commun ?

2. Pourquoi est-ce que la réussite économique de ces villes est importante pour la France ?

3. Dans quelle partie de la France est-ce que le nouveau développement des villes est le plus évident ?

4. Citez trois éléments qui sont essentiels à la réussite économique de ces villes. Pourquoi est-ce que ces éléments sont importants ?

5. Pour quelles raisons les cadres et les jeunes ingénieurs sont-ils attirés par ces villes ?

6. Qualité de la vie :

   a. Quels sont les critères choisis dans cette enquête pour définir la qualité de la vie dans ces villes ?

   b. D'après le texte, la qualité de la vie semble-t-elle être meilleure à Paris qu'en province ?

   c. Est-ce que la qualité de la vie continue à s'améliorer dans ces villes de province ? Dites pourquoi.

   d. Est-ce que les habitants de Paris peuvent facilement mener une vie équilibrée ? Dites pourquoi.

B. Lecture des tableaux comparatifs
Répondez aux questions suivantes en citant les statistiques données dans les tableaux comparatifs des villes pour justifier votre réponse.

1. Dans le centre de quelle ville est-ce que la population est la plus dense ? la moins dense ?

2. Les villes du sud de la France attirent-elles plus de nouveaux habitants que les villes du nord ?

3. Dans quelles villes « de province » trouve-t-on le plus grand pourcentage de personnes très qualifiées parmi les travailleurs ?

4. Dans quelles villes y a-t-il le plus grand nombre d'étudiants ?

5. Pourquoi, à votre avis, y a-t-il un nombre très supérieur de très bons restaurants à Paris ?

6. Dans quelle ville « de province » y a-t-il le plus grand nombre de très bons restaurants ?

7. Quelles sont les cinq villes où il y a la plus grande proportion de clubs et complexes sportifs par rapport à la population ?

Activités orales

1. *Echange d'idées.* Vous parlez avec trois camarades. Vous êtes cadres travaillant à Paris dans des entreprises différentes et on vous propose de travailler dans une des douze villes citées. Quelle ville allez-vous choisir ? Expliquez votre choix.

2. *Jeu de rôle.* Vous voyez dans le journal une offre d'emploi dans une des douze villes citées. Vous voulez répondre à cette offre mais votre mari (ou votre femme) n'a pas envie de quitter son travail actuel pour vivre dans cette ville. Chacun essaie de persuader l'autre.

3. *Dialogue.* Un(e) étudiant(e) choisit une ville française où il (elle) aimerait vivre. L'autre étudiant(e) choisit une ville de son pays où il (elle) aimerait vivre. Ensuite les deux étudiant(e)s comparent les avantages et les défauts de « leur » ville.

Activités écrites

1. *Compte-rendu.* A partir des statistiques figurant dans les tableaux, vous faites le compte-rendu des avantages de vivre dans une des villes citées. N'oubliez pas de comparer cette ville avec d'autres villes figurant au classement.

2. *Brochure publicitaire.* Vous êtes chargé(e) de rédiger une brochure publicitaire pour attirer des gens dans une des douze villes. Rédigez des slogans publicitaires.

3. *Lettre.* Vous vous êtes installé(e) récemment dans une des douze villes citées. Vous écrivez à un(e) ami(e) qui habite Paris en lui racontant votre nouvelle vie professionnelle et sociale.

Villages du passé : symboles de la France traditionnelle

Villes du futur : symboles de la France moderne

Les beaux jours des technopoles

Sophia-Antipolis, Rennes-Atalante, Metz 2000... Des ensembles d'entreprises qui jouent à fond la carte de l'innovation.

[1] Les années 80 ont vu, aux abords des grandes villes, l'éclosion en série des technopoles, sites d'accueil pour industries de pointe. Celles-ci — bio-, électro-, robot-, avion-« iques » en tout genre — exploitent un nouveau minerai, la matière grise, bien sûr, assistée par ordinateur.

[2] Tout commence en 1969. Pierre Laffitte emmène l'Ecole des mines, dont il est directeur, dans la garrigue antiboise pour créer autour d'elle une « cité de la sagesse, des sciences et des techniques ». Sophia-Antipolis. A l'image de ses modèles américain (Silicon Valley) et japonais (Tsukuba), elle allie recherche, industrie et culture, sur fond de qualité de la vie.

[3] En 1972 émerge la Zirst (zone d'innovation et de recherche scientifique et technique) de Grenoble. Née de la synergie de l'entreprise Merlin Gérin et des laboratoires grenoblois, elle rassemble les sociétés créées par les chercheurs et consacrées surtout à la micro-informatique et à l'électronique. Quinze ans plus tard, Sophia double sa superficie, tandis que la « vallée fertile » de Fontanil soulagera la Zirst surpeuplée. Apparemment, la recette est bonne : de quoi donner des idées et des espoirs, aux villes en mal de modernisation industrielle ou d'industrie tout court.

[4] C'est le cas, par exemple, de Rennes et de Metz. En 1971, la Datar parachute le Cnet

(Centre national d'études des télécommunications) en Bretagne. Autour de lui se greffent des industries et des grandes écoles, qui déterminent la vocation du pôle de Rennes-Atalante pour la télématique. Il abrite aujourd'hui un studio numérique (émission d'images télévisées par ordinateur) unique au monde.

⁵ Metz, de son côté, n'avait rien, sinon la passion de son sénateur maire Jean-Marie Rausch pour le câble et les claviers, qui la prédisposât à la « communication ». Après avoir attiré l'Ecole supérieure d'électricité, le pôle de Metz 2000 accueille, en 1987, le premier téléport français (centre de télécommunications indépendant du réseau P.t.t.). Pour Jean-Marie Rausch, l'enjeu de cette entrée en force dans le XXIᵉ siècle est de « préserver [ma] ville et [ma] région d'un troisième naufrage, après ceux de la sidérurgie et de l'automobile ».

⁶ Pour les autres villes, il s'agit de rentabiliser un potentiel universitaire en aidant l'accès des chercheurs et des ingénieurs à la création d'entreprises. Toulouse compte, en effet, 60 000 étudiants ; Lyon, 13 000, plus 13 grandes écoles et 456 labos ; Marseille, 3 universités et 8 grandes écoles... Lille forme 10 % des ingénieurs français.

⁷ Les contrats université-entreprises ont déjà donné quelques résultats. C'est grâce, par exemple, à la collaboration des industriels avec les chercheurs en génie mécanique que Bordeaux est devenu leader pour les matériaux composites. Montpellier s'est élevé au rang de centre mondial de l'agriculture tropicale à partir d'un simple institut d'agronomie, tandis que les grandes sociétés d'informatique, I.b.m., Matra, Hewlett-Packard, Digital Equipment sont d'ores et déjà des piliers de technopoles.

⁸ Le renouveau industriel de la France dépend-il des technopoles ? La Datar leur reconnaît au moins deux intérêts. Elles poursuivent le rééquilibrage entre Paris et la province amorcé dans les années 70 et elles stimulent la modernisation des industries.

MARIE-ANNE LESCOURRET ■

EXPLICATIONS

Les connotations culturelles

une technopole : On appelle une grand ville une « métropole ». Les villes appelées « technopoles » sont été baties pour accueillir des industries ultra-modernes et des technologies nouvelles et elles sont symboles de la France moderne, tournée vers l'avenir.

Sophia-Antipolis : technopole qui se trouve sur la Côte d'Azur, près d'Antibes, entre Cannes et Nice

Rennes : ville de Bretagne

Metz : ville de Lorraine, dans l'est de la France

² **L'Ecole des mines :** grande école qui forme des ingénieurs

la garrigue antiboise : paysage aride méditerranéen près de la ville d'Antibes

³ **Grenoble** (adjectif, **grenoblois**) : ville de l'est de la France

⁴ **la Datar :** la Délégation à l'Aménagement du Territoire, commission nationale chargée de la modernisation industrielle de la France

⁵ **P.t.t. :** sigle traditionnel des « Postes et Télécommunications »

⁶ **les universités et les grandes écoles :** font partie de l'enseignement supérieur en France. Pour être admis dans une grande école, les étudiants doivent réussir à un concours après le baccalauréat.

⁷ **Bordeaux :** ville du sud-ouest de la France
Montpellier : ville du sud de la France

Les mots

entreprise (f) : société, firme, industrie
jouer la carte de : donner la priorité à
à fond : complètement

[1] **aux abords de :** autour de
éclosion (f) : développement
de pointe : *ici*, très moderne, avancé
minerai (m) : minéral qui contient des substances chimiques qu'on peut extraire
matière (f) **grise :** *ici*, le cerveau

[2] **allier :** mettre ensemble

[3] **informatique** (f) : traitement de l'information par les ordinateurs
soulagera... surpeuplée : permettra l'expansion de la Zirst où il y avait trop de gens
recette (f) : *ici*, formule
en mal de : sans

[4] **parachuter :** *ici*, installer rapidement
se greffer : *ici*, se développer

pôle (m) : cf. pôle positif (en électricité)
télématique (f) : ensemble des télécommunications
abriter : s'y trouver

[5] **clavier** (m) : partie d'un piano, d'une machine à écrire, d'un ordinateur
enjeu (m) : défi, objectif
naufrage (m) : *ici*, crise économique
sidérurgie (f) : industrie métallurgique

[6] **rentabiliser :** rendre profitable
labo (m) (fam) : laboratoire

[7] **génie** (m) : cf. ingénieur
d'ores et déjà : à partir de maintenant

[8] **renouveau** (m) : renouvellement
reconnaître : attribuer
rééquilibrage (m) : *ici*, redistribution de l'importance économique
amorcer : commencer

INTERACTION AVEC LE TEXTE

Les idées essentielles

1. Donnez le nom de trois technopoles françaises.

2. Comment s'appelle la plus ancienne de ces technopoles ? Comment peut-on la décrire ?

3. Qu'est-ce qui caractérise les technopoles du point de vue :
   a. de leur situation géographique ?
   b. des industries présentes dans ces villes ?
   c. de leurs relations avec les universités et les grandes ecoles ?

4. Donnez le nom de trois « industries de pointe » que l'on trouve dans les technopoles.

5. Quels sont les deux avantages qu'on attribue aux technopoles ?

Analyse des idées

1. Quels sont, à votre avis, les deux éléments les plus importants pour le succès d'une technopole ?

2. Pourquoi, à votre avis, les créateurs des premières technopoles se sont-ils inspirés de modèles américains et japonais ?

3. Il y a des références à l'intervention de l'Etat dans la modernisation industrielle de la France. Qu'est-ce que cela indique ? Croyez-vous que l'Etat doit y jouer un rôle ? Pourquoi ?

Activités orales

1. *Dialogue.* Vous venez de terminer vos études. Vous voulez faire de la recherche pour une entreprise installée dans une technopole. Vous expliquez au directeur ou à la directrice de cette entreprise les raisons pour lesquelles ce travail vous intéresse.

2. *Discussion.* La publicité : Analysez d'abord la publicité « Côte d'Azur industrielle et scientifique ». Ensuite discutez ensemble l'image de Sophia-Antipolis et de la région Côté d'Azur présentée dans cette publicité.

Activités écrites

1. *Résumé.* Résumez les idées principales du texte en utilisant les expressions suivantes : jouer la carte de l'innovation ; les industries de pointe ; il s'agit de... ; la collaboration des industriels avec des chercheurs et des ingénieurs... ; le renouveau industriel ; le rééquilibrage entre... et...

2. *Rédaction.* Rédigez un rapport sur une ville industrielle ou sur l'équivalent d'une technopole dans votre pays. Où est-elle située ? Qu'est-ce qu'on y fait ? Est-il agréable d'y vivre ?

La France a trois nombrils

La guerre fait rage entre plusieurs villages qui revendiquent l'honneur d'être le centre de l'Hexagone... et tentent d'attirer un maximum de touristes.

[1] Y a-t-il un autre moyen d'arrêter les rares touristes qui viennent se perdre ici ? Vendre du concept (la « centralité »), à défaut de savoir vendre le reste (le calme désert berrichon). « Il n'y a rien ! » disent ceux qui voient mal. Montrons-leur au moins ça : le centre de la France !

[2] Même limité à sa dimension purement géographique, le sujet nourrit encore une vieille polémique. Le centre ? Mouvant, insituable. Mais, à défaut de le trouver, on peut le construire : les monuments ne sont-ils pas le meilleur alibi des certitudes difficiles ? Pour vouloir être le centre du pays, il suffit de le montrer. A condition de n'être point trop nombreux. La surenchère est bien partie : aux confins du Berry et du Bourbonnais, trois villages — au moins — se disputent le cœur géographique de la France.

[3] Le tenant du titre croyait pouvoir se reposer sur la durée : Bruère-Allichamps (638 habitants), dans le Cher, s'était habitué à vivre avec cette gloire depuis qu'une borne romaine, découverte en 1757, a été transplantée au centre du village pour concrétiser les calculs d'un géographe du XIXe siècle, Adolphe Joanne. Grâce à son vieux monument, ce minuscule village écoule sa fierté et quelques souvenirs le long de la N 144.

[4] Ayant eu les honneurs du Guide bleu, le titre de Bruère-Allichamps fut longtemps sans contestation. Certes, un impertinent petit village, plus au sud, dans l'Allier, avait bien gravé sur le fronton de son hôtel de ville : « Mairie de

Chazemais — Centre de la France ». Mais cela en resta au stade de velléité. Il y avait aussi cette prétention d'Alain-Fournier, l'auteur du « Grand Meaulnes », qui précisait dans sa Correspondance que le centre géométrique de la France était le village de son enfance, Epineuil-le-Fleuriel, à 25 kilomètres au sud-est de Bruère. De la littérature !

⁵ La menace est devenue plus sérieuse quand le village de Saulzais-le-Potier (476 habitants), à quelques kilomètres au sud de Bruère, s'est mis à construire son monument. « C'était en 1966, si je me souviens bien », précise Maxime Chagnon, l'un des derniers sabotiers du Berry et maire du village. « Nous voulions rendre hommage aux travaux de l'abbé Moreux, ancien directeur de l'observatoire de Bourges, qui situait le centre du pays sur notre commune. Nous avons construit ce centre bénévolement, le menuisier, le maçon et moi. Les gens du village nous apportaient à boire. »

⁶ Ce centre est certainement le plus sympathique de tous : à peine indiqué, à l'écart, au bout d'un petit chemin, au lieu dit Le Chétif Bois, le monument, en forme de pain de sucre, trône au milieu de quatre petits bancs à l'ombre d'un chêne. C'est aussi le plus modeste : sur la borne (à l'intérieur de laquelle le maire et ses amis ont scellé pour l'éternité une photocopie des calculs de l'abbé Moreux), une inscription très prudente : « Ce serait ici que les calculs de l'éminent mathématicien et astronome l'abbé Théophile Moreux auraient déterminé le centre géographique de la France. » Ce conditionnel et cette discrétion calmaient un peu l'irritation de Bruère.

« La vérité n'existe pas vraiment »

⁷ L'offensive de Vesdun fut plus pénible et, surtout, plus grave. Pierre Dumontet, le maire de ce petit village du Cher (721 habitants) veut créer l'un des « pôles touristiques de la région ». Par chance, les derniers travaux de l'Institut géographique national (I.g.n.) situent sur la commune de Vesdun le « centre de gravité du territoire métropolitain », calculé selon des critères purement géométriques assimilant la France à un plan horizontal. Ce lieu, La Coucière, pivot des 36 452 communes de France

(affectées chacune d'un « poids » égal à sa superficie), est sujet à controverse : selon que l'on inclut ou non les lacs et les îles, il peut varier de quelques kilomètres. La science est parfois décevante : en matière de centre, même pour l'I.g.n., « la vérité n'existe pas vraiment ».

⁸ Le maire de Vesdun ne s'en formalise pas. Il ne s'inquiète pas non plus de savoir que les terrains de La Coucière désignés par les calculs de l'I.g.n. sont, en fait, plus proches de Saulzais que de Vesdun... A défaut d'être exactement situé, le monument, inauguré en 1984, est « monumental » : une énorme dalle de 5 mètres de diamètre en forme de camembert représentant la France stylisée, surmontée d'un drapeau, défigure assez le village pour ne pas passer inaperçue. « On n'a pas de château, mais on a notre site ; c'est un but de promenade », précise le maire. Toutes les routes alentour sont parsemées de panneaux rabatteurs : « Le centre de la France dans 4 kilomètres... dans 2 kilomètres... ». Et cela marche. Le maire de Bruère ne trouve pas cette concurrence très élégante : « Ce n'est pas correct d'essayer de nous déposséder du centre de la France, d'enlever l'image de marque d'un petit village ! »

⁹ Que faire ? La municipalité de Bruère a bien nettoyé sa borne, qui noircissait depuis le début du siècle. Elle l'a aussi éclairée par quatre projecteurs : « Avec l'éclairage au sodium, on l'aperçoit à 2 ou 3 kilomètres. » Ce qui ne suffit évidemment pas. Il faut voir plus grand pour contre-attaquer, puisque Vesdun a décidé de donner dans la démesure. C'est là que la fierté blessée de Bruère rencontre l'idée de l'architecte Claude Parent et du sculpteur Ben Jakober.

¹⁰ La mégalomanie est parfois toute simple. Le centre de la France ? Il faut un « symbolisme direct » pour cette « idée abstraite » : un nombril ! Il faut qu'il se voie ? On le fera immense ! Du béton et du marbre rose sur 200 mètres de largeur, sur une profondeur de 7 mètres. L'architecte prévoit sous ce vaste nombril un hébergement hôtelier. Le maire voudrait qu'on y laisse assez de place pour des boutiques de souvenirs.

¹¹ Un gros projet pour la municipalité de Bruère qui offre gratuitement le terrain (« une colline dominant le Cher, notre meilleur site ») en espérant un financement par l'Etat et par la région.   ERIC CONAN ∎

EXPLICATIONS

Les connotations culturelles

l'Hexagone (m) : la France, qui a la forme d'un hexagone

1 **berrichon(ne)** : adjectif tiré du nom d'une région, le Berry. C'est une région agricole qui n'est pas très peuplée (cf. le « désert berrichon »)

2 **le Bourbonnais** : nom d'une région

3 **le Cher** : nom d'une région
la N 144 : la route nationale 144

4 **le Guide bleu** : série de guides touristiques très connus qui ont une couverture bleue

l'Allier : nom d'une région
Alain-Fournier (1886–1914) : écrivain français. Son roman « Le Grand Meaulnes » continue à enchanter les jeunes Français.

5 **Bourges** : ville principale de l'Allier

7 **la commune** : la plus petite division administrative de la France. Chaque commune a un maire.

8 **en forme de camembert** : ayant la forme circulaire d'un camembert (fromage)

Les mots

nombril (m) : au milieu du ventre, endroit où le cordon ombilical était attaché
tenter de : essayer de

1 **à défaut de savoir** : si on ne sait pas

2 **polémique** : discussion animée
à défaut de le trouver : si on ne peut pas le trouver
la surenchère... partie : l'exagération a commencé
aux confins de : à l'extrémité de

3 **tenant** (m) : propriétaire
borne (f) : pierre qui indique une limite
minuscule : très petit
écouler : vendre

4 **graver** : *ici*, écrire solennellement
fronton (m) : partie supérieure de la façade
au stade de velléité : au niveau de la fantaisie
de la littérature ! : une invention littéraire et, par conséquent, inexacte

5 **se mettre à** : commencer à
sabotier (m) : fabricant de sabots (chaussures de bois portées à la campagne)
bénévolement : gratuitement
menuisier (m) : artisan qui travaille le bois
maçon (m) : artisan qui utilise la pierre et la brique

6 **à l'écart** : *ici*, pas sur la route principale
au lieu dit : à l'endroit appelé
trôner : se dresser
chêne (m) : nom d'un arbre
sceller : fixer
conditionnel (m) : *ici*, la forme verbale « serait »

7 **pénible** : douloureux, dur
sujet à controverse : qui ne fait pas l'accord de tout le monde
décevant : qui ne fait pas ce qu'on espérait

8 **se formaliser** : se vexer
dalle (f) : bloc de pierre
on n'a pas de château : il n'y a pas de château au village
but : objectif
parsemer : être répandu çà et là
panneau (m) **rabatteur** : *ici*, annonce pour attirer les touristes
cela marche : cela réussit

9 **noircir** : devenir noir
démesure (f) : excès

10 **béton** (m) : ciment
prévoir : envisager
hébergement (m) **hôtelier** : hôtel

INTERACTION AVEC LE TEXTE

Les idées essentielles

A. Complétez le tableau ci-dessous. L'article ne donne pas d'information pour remplir les blocs qui sont rayés.

	Nombre d'habitants	Situation géographique	« Le centre de la France ? » : justifications données	Type de « monument »	Date du « monument »
Bruère-Allichamps					
Chazemais	X		X		X
Epineuil-le-Fleuriel	X			X	X
Saulzais-le-Potier					
Vesdun					

B. Répondez aux questions suivantes qui concernent la rivalité entre les villages.

1. La rivalité est la plus grande entre deux des villages du « centre de la France ». Lesquels ?

2. Est-ce que Chazemais et Epineuil-le-Fleuriel sont des candidats sérieux au titre de « centre de la France » ?

3. Quelles sont les différences entre l'attitude de ceux qui ont construit le monument de Saulzais-le-Potier et l'attitude du maire de Vesdun ?

4. Quand Vesdun avait construit son « monument », qu'est-ce que Bruère a d'abord fait pour attirer de nouveau l'attention des touristes sur son titre de « centre de la France » ?

5. Qu'est-ce que Bruère a fait ensuite ?

Analyse des idées

1. Pourquoi est-ce ces villages veulent être désignés « le centre de la France » ?

2. Qu'est-ce qui indique que Vesdun et Bruère ont « donné dans la démesure » pour se distinguer comme « le centre de la France » ? Que pensez-vous de cette « surenchère » ?

3. Pourquoi, à votre avis, a-t-on voulu désigner scientifiquement et géographiquement le centre de la France ? Qu'est-ce que cela révèle de la mentalité française ?

4. Quelle est l'attitude du journaliste envers la rivalité entre ces villages ? Quel « monument » préfère-t-il ? Justifiez vos réponses en citant des mots et des expressions du texte.

Activités orales

1. *Dialogue.* Imaginez une conversation entre le maire de Bruère et le maire de Vesdun au sujet du « centre de la France ».

2. *Discussion.* Dans votre pays, est-ce qu'il y a un endroit connu comme « le centre du pays » ?

   Si oui, est-ce que cet endroit a un « monument » ? Quel est le symbolisme de cet endroit pour les habitants de votre pays ?

   Si non, expliquez pourquoi, à votre avis, votre pays n'a pas de « centre » alors que le concept de « centralité » est important en France ? Croyez-vous qu'il faut donner une réalité tangible au centre d'un pays ? Pourquoi ?

Activités écrites

1. *Lettre.* Vous êtes maire de Bruère. Vous écrivez au maire de Vesdun pour critiquer son projet de transformer son village en « centre de la France ».

2. *Rédaction.* Faites le résumé de la rivalité entre Bruère et Vesdun en disant quel village a le droit, selon vous, d'être appelé « le centre de la France ».

Mont Blanc :
le stade ultime

Laurent Smagghe : aller vite, toujours plus vite.

*Ce n'est plus
de l'escalade,
c'est de la course.
Les jeunes
alpinistes multiplient
les risques et les
records. Les vieux
Chamoniards crient
au fou.*

[1] Le week-end dernier, Laurent Smagghe, un Grenoblois, a établi un nouveau record : Chamonix-Mont Blanc et retour en cinq heures vingt-neuf minutes trente secondes. Cet « exploit » marque la fin d'une époque vieille de deux siècles, celle des « montagnards traditionnels », et l'avènement du règne des « coureurs des montagnes », une nouvelle sorte de barbares.

[2] Deuil chez les vieux Chamoniards : les brutes ont remplacé les esthètes, et la montagne est devenue un vulgaire stade. Un seul principe, désormais : réaliser en un minimum de temps l'aller-retour Chamonix-Mont Blanc par la face nord, au mépris le plus absolu de toutes les règles de l'alpinisme.

[3] Pour Laurent Smagghe, 26 ans, ouvrier en bâtiment au chômage à Meylan (près de Grenoble), Pierre Lestas (24 ans, capitaine des CRS de

La vallée de Chamonix et la face du Mont Blanc.

Briançon), Jacques Berlie (37 ans, professeur de mathématiques à Vouvry, en Suisse) et Pierre Cusin (33 ans, résidant à Annecy), tout a commencé au petit matin, sur la place de l'Hôtel-de-Ville, à Chamonix. Tenue vestimentaire extravagante pour les « vrais » montagnards : un maillot léger, un collant et des chaussures de marathonien. Au départ, Smagghe affirme : « Le mont Blanc, je le respecte, mais à ma façon. » Un premier sprint long, régulier, qui mène au téléphérique. Là, on est à 2 600 mètres d'altitude, soit 1 600 mètres au-dessus de la ville. Rien à signaler jusqu'alors, si ce n'est une vue splendide sur la vallée...

4 Deuxième tronçon de l'escalade, sur lequel les guides de Chamonix conseillent à leurs clients équipés en randonneurs classiques : « Regarde bien où tu poses tes pieds. » Smagghe, lui, est à pleine vitesse, le souffle rapide, le cœur cognant fort dans la poitrine. La pente est praticable, mais de plus en plus raide. Ça monte très dur quand se profile la Tête-Rousse, où tout grimpeur traditionnel fait une première halte... Les « sprinters » de la montagne, eux, passent en courant...

5 Ça monte toujours. Laurent Smagghe avale la montée. De plus en plus vite. A 3 000 mètres, c'est le refuge des Grands-Mulets. A 3 800 mètres, celui du Goûter, juste après un couloir réputé dangereux, le « couloir de la mort ». Dans ce passage, le moindre faux pas peut être à l'origine d'un accident. Mais Smagghe, tout comme Lestas, Berlie ou Cusin lors des précédentes tentatives, continue. Après le Goûter, l'air et la végétation se raréfient. C'est la haute montagne. Chaque effort coûte trois fois plus à l'organisme humain, mais c'est l'ultime partie de l'ascension. La tradition dit qu'on attaque le mont Blanc de nuit si on veut le voir de jour. Smagghe, lui, file à l'assaut du toit de l'Europe au cœur de la matinée. Cinq cents mètres plus haut, et il passe au Dôme, une « colline » enneigée où, en moyenne, la moitié des aspirants à la conquête du mont Blanc font demi-tour. Paysage de glace, température aux environs de 10 degrés, neige molle — un itinéraire historique par où, voilà deux cent

L'Aiguille du Midi, au sommet du Mont Blanc.

deux ans, Jacques Balmat et Michel Gabriel Paccard avaient réalisé la première ascension. Il faut du souffle, une excellente acclimatation à l'altitude et, théoriquement, des chaussures à crampons... « Du refuge du Goûter jusqu'au sommet, de quatre à six heures sont nécessaires, en général. » Et dans le fond, là-bas, à l'horizon, on aperçoit le jet d'eau du lac Léman !

[6] A 4 400 mètres, le refuge Vallot. Soudain, la pente est encore plus raide. Dans cette zone, on retrouve encore des restes de victimes de l'accident d'un avion d'Air India qui s'est écrasé en 1966... Mais rien ne trouble l'attention des sprinters de la montagne. Et quand Smagghe, Lestas ou Berlie et Cusin atteignent le sommet, il s'est écoulé un peu plus de quatre heures. « C'est un exploit physique », affirme le Dr Jean-Pierre Herry, médecin à l'Ecole nationale du ski et de l'alpinisme (Ensa) de Chamonix.

[7] Ils ne s'accordent pas le moindre temps de repos, et replongent immédiatement vers Chamonix. Une prise de risques extrême. Encore plus que pour la montée, dans ce retour vers la ville, on joue sans cesse avec le danger. Avec la mort... Smagghe raconte sa première descente : « A mon passage au sommet, j'avais dix minutes de retard sur le précédent record. Alors, pour rentrer à Chamonix, j'ai décidé de jouer le tout pour le tout. J'ai tiré tout droit. Sur les glaciers, je me suis laissé glisser sur le ventre, en faisant l'avion avec les bras. »

[8] A son retour sur la place de l'Hôtel-de-Ville, à Chamonix, Smagghe ne paraissait pas exagérément affaibli par l'effort. Un témoin raconte : « Il avait le visage à peine marqué, le corps, en revanche, pas mal écorché : mais il n'était presque pas essoufflé ! » Pourtant, le Dr Herry précise, dans une mise en garde, qu'une telle « ascension, sans équipements spécifiques, n'est certainement pas ouverte à quiconque. Voilà un exercice qu'on peut comparer au marathon, et plus encore au triathlon. Avec une donnée qui bouleverse tous les critères traditionnels de l'effort : l'altitude ». Ainsi, Berlie, Cusin et Lestas sont des marathoniens de très bon niveau : quant à Smagghe, il participe régulièrement à des triathlons. C'est en 1987 que ce dernier a découvert sa nouvelle passion : la course en haute montagne. C'est également à partir de cette époque qu'il consulte le Dr Herry. Examens approfondis, étude des dépenses énergétiques, stages de six jours en altitude, régime alimentaire avec des rations hyperglucidiques absorbées deux jours avant la course...

[9] A Chamonix, on observe cette course aux records avec inquiétude. Christophe Profit, tenant de la jeune vague de l'alpinisme, affirme : « On ne doit pas transformer la montagne en stade. » Un vieux Chamoniard, ironique, prend plaisir à rappeler que Morshead, un alpiniste anglais, s'était déjà lancé dans une aventure similaire dès 1864, et avait alors bouclé la course en un peu moins de seize heures... Explication de ces paroles par Sylvain Jouty, observateur averti du monde alpin et rédacteur en chef de la revue « Alpi-Rando » : « Il ne faut pas s'y tromper. Chamonix est bien le centre vivant de l'alpinisme en Europe. Mais l'alpinisme traditionnel à Chamonix, ce n'est pas plus de mille personnes, qui voudraient tout régenter. »

[10] Toutefois, les événements vont plus vite que ces traditionalistes. D'où l'inquiétude des Chamoniards face aux folies de Smagghe, Lestas, Berlie et Cusin. Leur stupéfaction lorsqu'ils apprennent que Pierre Tardivel, 24 ans, originaire de Nancy, dévale à skis, sur le versant italien du mont Blanc, des couloirs enneigés sur des pentes à plus de 65 degrés. Et leur réprobation devant ces « fous volants » qui louent un parapente et se jettent dans le vide à 1 000 mètres au-dessus de la ville, avec le risque de terminer accrochés sur les enseignes de la ville, les sapins ou même... les câbles du téléphérique ! L'été dernier, le bilan a été lourd : un blessé par jour admis à l'hôpital. Et l'on craint sans cesse l'accident mortel.

[11] Chamonix se retrouve coincée entre les « nouveaux aventuriers », les nouveaux conquérants de l'inutile et les tenants du classicisme. Chamonix, où Roger Frison-Roche explique que « tout cela n'a plus rien à voir avec l'alpinisme, sport de montagne... ». Et de rappeler que des coureurs comme Smagghe, Lestas, Berlie ou Cusin disposent, tout au long de leur

parcours, d'une quinzaine de leurs amis qui, à tout moment, les ravitaillent en boisson ou en nourriture, les accompagnent pendant quelques mètres, sont prêts à leur changer vêtements ou chaussures… Dès lors, ces sprinters du mont Blanc n'ont plus qu'une obsession : aller vite, toujours plus vite. Les records tombent.

[12] Pourtant, Pierre Lestas, ancien recordman de cette course, a décidé de se retirer de la compétition : « Il faut arrêter de tenter de battre le record du mont Blanc… Le minimum de sécurité n'est pas toujours respecté lors de ces tentatives… Je crains que ceux qui vont se lancer dans cette aventure ne commettent des imprudences… » Le maire de Chamonix, Michel Charlet, préfère, lui, jouer l'humour : « Si ça continue, je vais être obligé de mettre des panneaux de limitation de vitesse sur la face nord du mont Blanc… »

SERGE BRESSAN ■

EXPLICATIONS

Les connotations culturelles

Le Mont Blanc : montagne la plus élevée (4 807 mètres) de la chaîne des Alpes françaises. On appelle le sommet du Mont Blanc « le toit de l'Europe ».

un(e) Chamoniard(e) : habitant de la ville de Chamonix

[1] **un(e) Grenoblois(e) :** habitant de la ville de Grenoble

[3] **les CRS :** des Compagnies républicaines de sécurité sont stationnées dans les Alpes principalement pour aider en cas d'accidents ou de tempêtes de neige

[5] **le lac Léman :** lac suisse au bord duquel se trouve Genève

[10] **Nancy :** ville de l'est de la France

[11] **Roger Frison-Roche :** célèbre guide alpin

Les mots

stade (m) : (1) endroit où ont lieu des compétitions et des matchs sportifs ; (2) étape, limite

ultime : dernier

escalade (f) : cf. escalader (grimper)

crier au fou : *ici,* donner l'alarme

[1] **montagnard** (m) : personne qui habite la montagne ou qui fait de l'escalade en montagne

avènement (m) : arrivée

[2] **deuil** (m) : tristesse provoquée par la mort

esthète (m ou f) : personne qui aime les plaisirs raffinés, élégants

réaliser : *ici,* accomplir

face (f) **nord :** *ici,* face nord du Mont Blanc

au mépris de : en rejetant, refusant

[3] **ouvrier… chômage :** travailleur dans l'industrie du bâtiment et qui est sans travail

au petit matin : très tôt le matin

téléphérique (m) : cabine, suspendue à un câble, qui transporte des skieurs

soit : c'est-à-dire

si ce n'est : excepté

[4] **tronçon** (m) : partie

randonneur (m) : personne qui fait une randonnée (longue promenade pour le plaisir)

cogner : battre, frapper

raide : très incliné

se profiler : *ici,* apparaître

[5] **avaler la montée :** *ici,* monter en courant très rapidement

lors de : à l'occasion de

se raréfier : devenir plus rare

attaquer : *ici,* commencer l'escalade de

filer à l'assaut de : attaquer

faire demi-tour : revenir sur leurs pas

chaussure (f) **à crampons :** chaussure équipée de clous en métal qui empêchent de glisser

6 atteindre (ils *atteignent*) : arriver à

7 tirer (fam) : se diriger

8 pas mal écorché : *ici,* légèrement blessé
mise (f) **en garde :** avertissement
quiconque : tout le monde
examen (m) **approfondi :** *ici,* examen médical
  très détaillé
stage (m) : *ici,* séjour

9 tenant (m) : partisan, défenseur
boucler : *ici,* terminer
averti : intelligent
régenter : dominer

10 dévaler : descendre rapidement
versant (m) : face

parapente (m) : équipement qui permet à
  l'homme de voler
accroché : attaché involontairement
bilan (m) : résultat

11 coincé : pris, attrapé
et de rappeler que : et il rappelle que
parcours (m) : itinéraire
ravitailler : approvisionner, nourrir
dès lors : par conséquent

13 panneau (m) **de limitation de vitesse :** signal
  dressé au bord de la route pour avertir les
  conducteurs qu'il ne faut pas dépasser la
  vitesse indiquée

INTERACTION AVEC LE TEXTE

Les idées essentielles

1. Quel est l'« exploit » que Laurent Smagghe vient d'accomplir ?

2. Dessinez l'itinéraire de la course des « coureurs de montagnes ». Sur votre dessin, vous indiquerez les endroits cités dans le texte et les altitudes.

3. Combien de temps a duré l'ascension de Laurent Smagghe jusqu'au sommet ? l'aller-retour Chamonix-Mont Blanc ? Par contraste, combien de temps a duré l'aller-retour fait par Morshead en 1864 ?

4. Afin de comparer les « coureurs des montagnes » et les alpinistes traditionnels, classez les expressions suivantes en deux colonnes :

Les « coureurs des montagnes »	Les alpinistes traditionnels

Expressions : les « sprinters » de la montagne, les montagnards traditionnels, les vieux Chamoniards, les « nouveaux aventuriers », la course aux records, les guides de Chamonix, la jeune vague de l'alpinisme, le mépris des règles de l'alpinisme, les « vrais » montagnards, les brutes, les esthètes, les randonneurs classiques, les nouveaux conquérants de l'inutile, les tenants du classicisme, les risques et les records, des chaussures de marathonien, des chaussures à crampons, les grimpeurs traditionnels, l'ascension sans équipements spécifiques

Analyse des idées

1. Donnez sur chacun des participants de cette course en haute montagne deux informations personnelles. Quel autre sport est-ce que chacun pratique ? Quelles conclusions pourrait-on tirer sur les gens qui sont attirés par cette course ?

2. Quel est l'objectif des participants de cette course ?

3. Citez trois exemples de risques que les coureurs prennent ou d'imprudences qu'ils commettent.

4. Les coureurs des montagnes sont-ils vraiment seuls pendant leur course ? Quelles sont les personnes qui les aident ? Pourquoi ?

5. Selon le Dr Herry, qu'est-ce qui influence principalement la préparation des coureurs pour cette ascension ?

6. Quelle est l'attitude des vieux montagnards devant le phénomène des « nouveaux aventuriers » ? Citez des expressions précises qui illustrent cette attitude.

7. Pourquoi est-ce que les alpinistes traditionnels critiquent les « nouveaux aventuriers » ?

8. Est-ce que Pierre Lestas est d'accord avec ces critiques ? Justifiez votre réponse.

Activités orales

1. *Dialogue.* Un vieux Chamoniard essaie de convaincre Laurent Smagghe de ne plus considérer la montagne comme un stade. Smagghe défend son point : « Le Mont Blanc, je le respecte, mais à ma façon ». Imaginez leur dialogue.

2. *Conversation.* Trois sprinters de la montagne (Laurent Smagghe, Pierre Lestas, Jacques Berlie) parlent de leur course. Imaginez leur conversation. (Inspirez-vous du dessin que vous avez fait de l'itinéraire aller-retour Chamonix-Mont Blanc.)

3. *Débat.* Que pensez-vous des « coureurs des montagnes » ? Est-ce que ce sont des fous qui ne savent pas apprécier la montagne ou est-ce que ce sont de grands sportifs ?

Activités écrites

1. *Article de journal.* Vous êtes journaliste sportif. Vous écrivez un article sur l'« exploit » de Laurent Smagghe ou sur un autre exploit sportif.

2. *Lettre.* Vous êtes le maire de Chamonix (cité à la fin du texte). Vous avez reçu une lettre qui dit combien les « nouveaux aventuriers » sont dangereux. Vous répondez à cette lettre.

3. *Rédaction.* Les joies de la montagne.

STYLES DE VIE

Services : pour le pire et le meilleur

*Les P.t.t. (la Poste) et la S.n.c.f. (les trains) :
deux grands services publics.*

¹ **C**arte de crédit en main, qui ne s'est jamais indigné devant un Dab — distributeur automatique de billets — vide au beau milieu du weekend ? Qui, dans une file d'attente interminable, n'a jamais pesté devant un guichet de la S.n.c.f., alors que le T.g.v. permet aux usagers de gagner tellement de temps ?

² La modernité et l'archaïsme, l'efficience et l'inefficacité, l'indispensable et le parasite : les services conjuguent les contradictions.

³ Le nombre et la capacité des installations téléphoniques ont considérablement augmenté. En revanche, orgueil, naguère, des P.t.t., pour son exactitude et sa rapidité, la distribution du courrier laisserait maintenant à désirer, ses responsables ne le contestent pas.

⁴ Le conditionnel s'impose. Car, dans le sondage réalisé pour L'Express, les Français interrogés ne paraissent pas mécontents du courrier. Mieux : d'une manière générale, ils sont satisfaits des services qui leur sont fournis. Dans son commentaire des résultats du sondage, Alain Cotta, ne paraît pas surpris de cette opinion. Et plusieurs responsables de mouvements ou d'organismes de consommateurs apportent un éclairage inédit sur des comportements récents liés au développement des services.

⁵ Les Français, semble-t-il, ont pris leur parti d'un état de fait. Dès lors, l'attitude ambiguë des usagers devient cohérente et compréhensible. Habitués à des services généralement publics, et économiquement et politiquement puissants, les Français, respectueux des institutions et de tout ce qui, de près ou de loin, représente l'Etat, s'accommodent ou se résignent. Les usagers se sont accoutumés à une relative médiocrité de la qualité des services. Une médiocrité qui ne laisse point de surprendre désagréablement les Japonais et les Américains de passage en France.

⁶ Tout chauvinisme écarté, les Français doivent tenir compte de leur appréciation, car

les services jouent un rôle de plus en plus important dans l'économie du pays, en particulier depuis 1993, année d'ouverture du grand marché unique européen. Pour l'instant, la position occupée par la France est bonne, en raison de données naturelles — environnement géographique et historique — ou des qualités de création des Français. A moyen terme, cela ne suffira plus. Les services sont, sans aucun doute, une chance pour la France. C'est l'opinion exprimée dans l'interview avec Georges Chavanes, ancien ministre des Services. Les Français sont mariés avec les services pour le pire des tracas quotidiens et pour le meilleur de l'avenir du pays.

JACQUES-HENRI BOURDOIS ■

EXPLICATIONS

Les connotations culturelles

[1] **la S.n.c.f. :** la Société nationale des chemins de fer français

le T.g.v. : le train à grande vitesse ; train très moderne et très rapide

[3] **les P.t.t. :** Poste, téléphone et télécommunications

[6] **1993 :** A cette date, les barrières économiques entre les douze pays membres de la Communauté économique européenne (C.E.E.) sont abolies et la C.E.E. devient un marché unique.

Les mots

pour le pire et le meilleur : La forme la plus fréquente de cette expression idiomatique est « pour le meilleur et pour le pire ». « Le pire » signifie « le plus mauvais ».

[1] **en main :** *ici,* tenue dans la main

s'indigner : se mettre en colère

billet (m) : *ici,* billet de banque

au beau milieu : en plein milieu

pester : protester vigoureusement

guichet (m) : *ici,* endroit où on achète les billets de train

usager (m) : personne qui utilise quelque chose

[2] **inefficacité** (f) : manque d'efficience

parasite (m) : *ici,* inutile, superflu

conjuguer : *ici,* multiplier

[3] **en revanche :** par contre

naguère : autrefois

laisser à désirer : ne pas donner entièrement satisfaction

[4] **conditionnel** (m) : forme du verbe utilisée pour des hypothèses et des suggestions ; « laisserait » est au conditionnel.

s'imposer : *ici,* être nécessaire, obligatoire

éclairage (m) **inédit :** *ici,* nouvelle perspective

[5] **pris leur parti... fait :** accepté la situation actuelle

dès lors : donc, par conséquent

s'accommoder : s'adapter

se résigner : accepter sans protester

ne laisse pas de surprendre : surprend toujours

de passage : en visite

[6] **chauvinisme :** amour excessif de son pays

écarté : éliminé

appréciation (f) : *ici,* jugement

à moyen terme : cf. à court terme, à long terme

suffire : être suffisant

tracas (m pl) : soucis, problèmes

INTERACTION AVEC LE TEXTE

Les idées essentielles

Vrai ou faux ?
Justifiez votre réponse en citant une expression du texte.

	V	F

1. Les guichets de la S.n.c.f. sont très modernes et font gagner du temps aux usagers. ☐ ☐

   Expression : _____

2. Le téléphone fonctionne mieux aujourd'hui. ☐ ☐

   Expression : _____

3. La distribution du courrier a toujours bien fonctionné dans le passé. ☐ ☐

   Expression : _____

4. Les Français ne sont pas du tout satisfaits des services actuels. ☐ ☐

   Expression : _____

5. Les Japonais et les Américains sont impressionnés par l'efficacité des services en France. ☐ ☐

   Expression : _____

6. Le développement des services est très important pour l'avenir économique de la France. ☐ ☐

   Expression : _____

Analyse des idées

1. Qu'est-ce qui peut provoquer l'indignation des usagers d'un Dab ?

2. Qu'est-ce qui peut provoquer le mécontentement de personnes qui attendent devant un guichet de la S.n.c.f. ?

3. Quels sont les deux grands services publics cités dans ce texte ?

4. Quelle est l'attitude générale des Français envers les services qui leur sont fournis ?

5. Pourquoi est-ce que cette attitude pourrait paraître surprenante ?

6. Comment peut-on expliquer cette attitude ?

7. Quelle est l'attitude générale des Français envers l'Etat ?

8. Donnez deux raisons pour lesquelles la France aurait de bonnes chances de consolider sa position internationale dans la provision de services.

Activités orales

1. *Scène*. Devant un Dab : C'est samedi soir. Vous attendez avec plusieurs personnes devant un Dab. La personne devant vous met sa carte de crédit mais le Dab est vide. Tout le monde se demande comment on va faire sans argent pendant le week-end et proteste contre les services bancaires.

2. *Scène*. Devant un guichet de la S.n.c.f. : Vous vous trouvez dans une file d'attente devant un guichet de la S.n.c.f. La file n'avance pas. Vous allez rater votre train. Vous expliquez aux autres personnes qui attendent les inconvénients si vous ratez votre train. Vous leur demandez de vous laisser passer à la tête de la file. Elles aussi sont pressées. Imaginez une solution.

Activités écrites

1. *Lettre*. Un paquet qu'une amie vous a envoyé il y a un mois pour votre anniversaire n'est toujours pas arrivé. Vous êtes allé(e) vous plaindre au chef de Service du bureau de poste mais vous n'êtes pas satisfait(e) des explications qu'il vous a données. Ecrivez maintenant une lettre de protestation au Ministre de la Poste.

2. *Rédaction*. La bonne ou la mauvaise qualité des services publics. Racontez une expérience personnelle.

Les images parlent

1.

2.

3.

4.

5.

INTERACTION AVEC LE VISUEL

Pour chacune des photos, dites :

1. où on se trouve ;

2. quel service est habituellement rendu à cet endroit ;

3. si on y reçoit un service personnalisé ou automatique ;

4. quels sont les usagers qui bénéficient de ce service.

Notez : Nº 5 est l'emblème que l'on trouve devant le cabinet d'un notaire.

Le secteur tertiaire en pleine expansion

Pour le Club Méditerranée et McDonald's, la qualité du service est plus qu'un slogan, c'est un impératif de marketing.

¹**S**i le dynamisme des services ne fait aucun doute, la définition même du secteur, en revanche, reste ambiguë. Les services constituent une véritable mosaïque d'activités. Divisés en services marchands et services non marchands, ils incluent aussi bien l'hôtellerie que l'informatique, la coiffure, l'expertise comptable ou les fonctionnaires…

² Au hit-parade des sociétés de services en expansion : le Club Méditerranée et McDonald's. Raison majeure de leur succès : ils ont fait de la qualité de leurs services plus qu'un slogan, un impératif de leur marketing (*voir encadrés*).

³ L'imagination en la matière est aujourd'hui illimitée. Chez Aquagest, par exemple, les bénéfices de l'entreprise dépendent entièrement du bon service rendu (*voir encadré*). Sur un autre registre, on ne compte plus les services à l'appel. De S.O.S.-Dépannage à S.O.S.-Amitié en passant par S.O.S.-Avocats, Plantes vertes ou Future Mère. Quant aux services-minute inspirés par la société Kis, ils prolifèrent, des clefs aux talons. La dernière mode est aux prestations à domicile, du type cabas express, croissants chauds ou coiffure beauté. Et, pour l'été, plus de problème pour faire garder son chien ou son bonsaï…

Club Méditerranée

Au Club, les hommes sont au cœur de ce service touristique, qui se consomme en même temps qu'il se produit. En 1984-1985, 1 266 900 personnes au total ont été reçues et servies par 8 000 G.o. Le chiffre d'affaires consolidé pour la même période a atteint 5,98 milliards de Francs, et les bénéfices réalisés, 302 millions de Francs. Une structure parfaitement adaptée, qui se vend très bien et qui s'exporte dans 30 pays.

C.R. ■

McDonald's

[1]Ray Kroc était l'inventeur de génie du Q.s.p. (qualité, service, propreté). Grâce à ce principe, il a bâti, en 1955, une société qui a essaimé dans 42 pays. Il existe aujourd'hui 9 500 restaurants McDonald's (75 % sont en franchise) dans le monde, dont une quarantaine en France. Fort de son slogan, McDonald's est resté le leader mondial incontesté.
[2] Issu de la civilisation du Coca-Cola, le hamburger s'exporte partout. Même en U.R.S.S. D'ailleurs, du pain, de la viande et de la salade, c'est basique et quasi international, reconnaît-on chez McDo. Les Japonais en raffolent : il y a 560 restaurants McDonald's au Japon.

C.R. ■

Aquagest

[1] Aquagest paie à votre place la facture d'eau. Ça, c'est du service !
[2] A l'origine de l'affaire, créée par Raymond Got et Jean Huel en 1971, un constat : le gaspillage de l'eau entraîné par une robinetterie déficiente représente de 20 à 25 % de la consommation globale d'eau. Aquagest propose alors aux gérants d'immeubles un contrat établi à partir de la consommation moyenne d'eau. A charge pour lui d'entretenir la robinetterie pour économiser l'eau. Son service d'entretien est facturé sur la marge gagnée (environ 20 %). Le chiffre d'affaires d'Aquagest est de 16 millions de Francs et une équipe de 15 personnes gère 35 000 logements sur Paris et la région parisienne.

C.R. ■

EXPLICATIONS

Les mots

[1] **informatique** (f) : traitement de l'information par les ordinateurs

expertise (f) **comptable** : cf. un expert-comptable (personne qui organise et vérifie des comptes, la comptabilité)

fonctionnaire (m ou f) : personne employée par l'Etat

[2] **hit-parade** : *ici*, classement

impératif (m) : nécessité

[3] **en la matière :** dans ce domaine

bénéfices (f pl) : profit

à l'appel : que l'on peut appeler

dépannage (m) : réparation de quelque chose en panne, qui ne marche pas

des clefs aux talons : de la fabrication de clefs à la réparation de talons de chaussures

prestation (f) : service

cabas (m) : panier à provisions

Club Méditerranée

G.o. : au Club, on appelle « gentils organisateurs » les personnes qui organisent les activités sportives et culturelles

McDonald's

[1] **de génie :** génial, très doué
essaimer : se multiplier
fort de : grâce à
incontesté : évident

[2] **issu de :** conséquence de
quasi : presque
en raffoler : adorer cela

Aquagest

[1] **facture** (f) **d'eau :** somme d'argent qu'il faut payer pour l'eau que l'on utilise à la maison

[2] **constat** (m) : observation
robinetterie (f) : système de robinets, on ouvre un robinet pour obtenir de l'eau
gérant (m) : *ici*, personne responsable de l'administration
à charge pour lui : sa responsabilité est
entretenir : maintenir en bon état
facturer : *ici*, calculer
gérer : administrer

INTERACTION AVEC LE TEXTE

Les idées essentielles

1. Quels services sont compris dans le secteur tertiaire ?

2. Pourquoi le Club Méditerranée, McDonald's et Aquagest ont-ils eu beaucoup de succès ?

3. Deux de ces entreprises ont une dimension internationale. Lesquelles ?

4. Quels sont les services rendus par ces trois entreprises ?

5. Pourquoi les G.o. sont-ils importants au Club Méditerranée ?

6. Quels sont les ingrédients de base d'un hamburger McDo ?

7. Que fait Aquagest pour économiser l'eau ?

8. En plus de ces trois entreprises, citez trois autres services mentionnés dans le texte.

Activités

1. *Dialogue*. Vous allez dans une agence de voyages pour organiser vos vacances au Club Méditerranée.

2. *Rédaction*. En imitant le style des encadrés, vous faites la présentation d'une société de services.

Des sondages d'opinion des services

Sondage I : Les services au banc d'essai

Pour chacune des professions et activités suivantes, la qualité du service ou de la prestation a-t-elle eu tendance à s'améliorer ou à se dégrader au cours des dernières années ?

	S'améliorer	Se dégrader	Est restée la même*	Sans opinion
Les pharmaciens	59 %	12 %	24 %	5 %
Les médecins	59	20	17	4
Les coiffeurs	56	12	20	12
Les grandes surfaces	56	18	19	7
Les banques	52	27	14	7
Les agents de voyages	49	8	6	37
Les restaurateurs	47	17	14	22
Les petits commerçants et artisans en général	42	37	16	5
Les pompistes	41	25	19	15
Les hôteliers	40	14	15	31
Les assureurs	37	37	15	11
Les garagistes	34	39	14	13
Les cafetiers	30	19	18	33
Les enseignants	30	43	14	13
Les taxis	26	15	13	46
Les agents immobiliers	25	26	10	39
Les notaires	23	15	15	47
Les pompes funèbres	17	15	9	59

Et pour chacune des institutions suivantes, la qualité du service ou de la prestation a-t-elle eu tendance à s'améliorer ou à se dégrader au cours des dernières années ?

	S'améliorer	Se dégrader	Est restée la même*	Sans opinion
Les hôpitaux	56 %	22 %	12 %	10 %
Les P.t.t.	56	28	14	2
E.d.f./G.d.f.	51	21	23	5
La police	50	22	15	13
Les transporteurs aériens	40	6	9	45
La S.n.c.f.	40	32	11	17
La Sécurité sociale	24	55	13	8

*réponse non suggérée

Sondage II : Des robots derrière le guichet

Certains domaines d'activité connaissent depuis plusieurs années des changements importants. Pour chacune des évolutions suivantes, dites si vous la jugez plutôt positive ou plutôt négative :

	Plutôt positive	Plutôt négative	Sans opinion
Le développement des systèmes de réservation directe pour les trains et les avions	81	7	12
Le développement des distributeurs automatiques de billets de banque	80	13	7
Le développement des grandes surfaces	77	20	3
Le développement des pompes à essence en libre-service	75	20	5
Le développement des restaurants libre-service	74	17	9
Le développement de la vente par correspondance	47	44	9
Le développement des fast foods	37	47	16

D'une manière générale, pensez-vous que, dans les années à venir, les rapports entre les prestataires de services et les usagers seront :

Plus anonymes	61 %
Plus personnalisés	32 %
Sans opinion	7 %

Seriez-vous plutôt satisfait ou plutôt mécontent de cette évolution ?

	Sur 100 personnes ayant donné une réponse à la question précédente	Sur 100 personnes ayant répondu « plus personnalisés »	Sur 100 personnes ayant répondu « plus anonymes »
Plutôt satisfait	49 %	92 %	27 %
Plutôt mécontent	44	4	65
Indifférent (spontané)	6	4	7
Sans opinion	1	—	1

EXPLICATIONS

Les mots

Les services au banc d'essai

au banc d'essai : *ici*, évalués, jugés
prestation (f) : service fourni
sa dégrader : diminuer (de qualité)
grande surface (f) : très grand supermarché
pompiste (m ou f) : dans une station-service, employé(e) qui sert l'essence

agent (m) **immobilier :** personne dont le travail est de louer ou de vendre des appartements et des maisons
l'E.d.f. : Électricité de France
le G.d.f. : Gaz de France

Des robots derrière le guichet

guichet (m) : endroit où une personne assise derrière un comptoir fournit un service (par exemple, vente de billets de train, vente de timbres-poste, etc.)

en libre-service : où les clients se servent eux-mêmes

prestataire (m ou f) : personne qui fournit un service

INTERACTION AVEC LE TEXTE

Les idées essentielles

Sondage I

Première partie du sondage

1. Regroupez les professions et les activités citées selon les catégories suivantes : commerce, enseignement, transports, santé.

2. Quelles sont les cinq professions et activités dont on juge le plus favorablement la qualité du service ? Quelles sont les quatre professions et activités dont on juge le moins favorablement la qualité du service ? A votre avis, comment pourrait-on expliquer leur position dans ce classement ? Et vous, si vous deviez les classer, est-ce que vous les classeriez dans le même ordre ?

Deuxième partie du sondage

1. Précisez le service rendu par chacune des institutions citées.

2. Imaginez pourquoi les Français pourraient estimer que la qualité du service fourni par les quatre premières institutions s'est améliorée.

Sondage II

1. Quelles évolutions sont jugées « plutôt positives » ? « plutôt négatives » ? Pouvez-vous dire pourquoi ?

2. A votre avis est-ce que ce classement serait le même dans votre pays ? Justifiez votre opinion.

Activités

Sondage I. Choisissez plusieurs professions ou activités citées et demandez à vos camarades de classe d'imaginer comment la qualité du service qu'elles fournissent pourrait « s'améliorer » ou « se dégrader ». Comparez les réponses.

Sondage II. Faites un sondage chez vos camarades de classe pour savoir si, à leur avis, les rapports entre les prestataires de service et les usagers seront plus anonymes ou plus personnalisés à l'avenir. Demandez-leur de justifier leur réponse en donnant trois exemples concrets.

Ensuite demandez-leur s'ils (si elles) sont plutôt satisfait(e)s ou plutôt mécontent(e)s de cette évolution.

Est-ce que les résultats de votre sondage sont similaires aux résultats du sondage chez les Français ? Quelles conclusions pourriez-vous en tirer ?

132

La France, heureuse et résignée

Même si les prestations, de plus en plus automatisées, ne sont pas toujours à la hauteur, les Français se disent plutôt satisfaits de leurs services.
En tête : la santé. Lanterne rouge : l'enseignement.

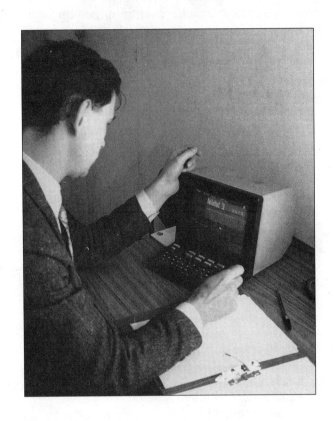

[1] LES RÉSULTATS des sondages établissent, nonobstant l'imprécision habituelle qui s'attache au terme de « service », l'existence de deux opinions très nettes, fort optimistes pour le présent et chargées de conséquences pour l'avenir.

[2] La première exprime un sentiment de satisfaction général des Français à l'égard des activités de services, constituant désormais la base de leur niveau de vie et de confort, qu'il s'agisse de services privés ou publics ou de grandes fonctions sociales.

[3] Des quatre grandes fonctions — santé, transports, commerce, enseignement — qui se prêtent au classement, deux se détachent. L'une, la santé, remporte la palme, par l'intermédiaire de ses « entreprises », les hôpitaux, et de tous ses agents, médecins et pharmaciens. L'autre, l'enseignement, reçoit un bonnet d'âne qui coiffe indistinctement tous les enseignants. Commerce et transports se tiennent dans une honnête moyenne.

[4] Cette hiérarchie ne fait que prolonger, très naturellement, un choix de société qui, depuis vingt ans, ne cesse de s'affirmer. Alors que la part du produit national consacrée à la santé est passée, en une génération, de 4 % à 10 %, celle de ce même produit affectée à l'enseignement se sera lentement contractée, pour ne plus attein-

dre, aujourd'hui, que 3 %. Le contenu purement financier de nos choix actuels ne fait, lui-même, que refléter notre angoisse croissante à l'égard de la maladie et de la mort et le fait que nous refusions, désormais, l'idée que le mérite soit reconnu, dès l'école, par le moindre classement.

Les fast foods au pilori

[5] La seconde opinion concerne la position de plus en plus contradictoire de beaucoup de Français à l'égard des services dits personnalisés. D'une part, en effet, ils jugent des plus favorables l'évolution récente qui a vu de nombreuses prestations de services devenir automatiques, au sens où le machinisme s'est étendu, de son domaine d'origine, l'industrie, pour en-

vahir tout le champ des activités humaines. En fait, cette extension a moins supprimé le travail qu'elle n'en a transféré l'exigence aux consommateurs. Chacun, désormais, doit remplir son réservoir et son Caddie, taper sur son clavier de Minitel pour réserver ses places d'avion, de théâtre ou de restaurant, commander ses biens d'usage et aller les chercher, pour peu qu'ils lui soient expédiés en recommandé. Se servir soi-même paraît tout à fait satisfaisant.

⁶ Les supermarchés et autres grandes surfaces bénéficient d'une faveur dont témoigne, d'ailleurs, avec la vente par correspondance, leur croissance spécifique, alors que petits commerçants et artisans sont considérés avec beaucoup plus de réticence. Il n'est guère que les fast foods pour attirer des réserves qui se conçoivent aisément dans un pays de grands chefs.

⁷ Ce jugement se prolonge d'autre part d'une prévision qui paraît des plus sages : ce mouvement de l'anonymat et du servez-vous vous-même doit se poursuivre. Les Français sont conscients de l'évolution technologique qui devrait emporter, dans les années toutes proches, les prestations de services. Et, pourtant, ils la déplorent. Il n'y a que les inconscients pour prévoir le futur avec sérénité. Deux Français sur trois sont mécontents de ce qui les attend : un monde où ils ne seront plus servis par leurs semblables mais où ils utiliseront des machines, un monde de plus en plus industrialisé, au moins dans deux grandes fonctions sociales (santé et enseignement). La plupart sont donc résignés autant qu'heureux.

ALAIN COTTA ■

EXPLICATIONS

Les mots

à la hauteur : *ici,* adéquate
en tête : en première position
lanterne rouge : *ici,* en dernière position

¹ **nonobstant :** malgré
chargé de : lourd de

² **qu'il s'agisse** (*subjonctif*) : s'il s'agit

³ **remporter la palme :** arriver en première position
recevoir un bonnet d'âne : porter sur la tête le symbole de la stupidité (dans une salle de classe)
se tenir dans une honnête moyenne : se classer entre les deux extrêmes

⁴ **alors que :** tandis que
affecté à : accordé à
angoisse croissante : inquiétude qui augmente
le mérite... classement : les résultats scolaires indiquent le mérite de l'élève
au pilori : *ici,* condamnés

⁵ **des plus favorables :** *ici,* très favorablement
s'étendre : se développer
exigence (f) : *ici,* responsabilité

réservoir (m) : réservoir d'essence (d'une voiture)
Caddie (m) : panier roulant utilisé par les clients dans un supermarché
Minitel (m) : petit ordinateur attaché au téléphone et qui peut fournir beaucoup de renseignements
bien (m) **d'usage :** ce qui est nécessaire pour la vie quotidienne
pour peu que : si
expédier en recommandé : envoyer par la poste avec un avis spécial

⁶ **faveur** (f) : jugement positif
réticence (f) : réserve, prudence
chef (m) : *ici,* chef de cuisine. La France est réputée pour ses restaurants gastronomiques.

⁷ **prévision** (f) : opinion pour l'avenir
anonymat (m) : ce qui est anonyme, ce qui n'est pas personnalisé
se poursuivre : continuer
emporter : éliminer
prestation (f) **de services :** provision de services
déplorer : regretter beaucoup

INTERACTION AVEC LE TEXTE

Les idées essentielles

Vrai ou faux ?
Justifiez votre réponse en citant une expression du texte.

          V   F

1. Les Français sont en général satisfaits des services relatifs à leur vie quotidienne. ☐ ☐

   Expression : _____

2. Les Français sont plus satisfaits de l'enseignement que de la santé. ☐ ☐

   Expression : _____

3. Les Français classent le commerce et les transports entre la santé et l'enseignement. ☐ ☐

   Expression : _____

4. L'Etat augmente le budget de la santé plus que celui de l'enseignement. ☐ ☐

   Expression : _____

5. Les Français n'approuvent pas l'évolution des services personnalisés en services automatiques. ☐ ☐

   Expression : _____

6. Les Français n'aiment pas se servir eux-mêmes. ☐ ☐

   Expression : _____

7. Les Français ont une opinion favorable des grandes surfaces et de la vente par correspondance. ☐ ☐

   Expression : _____

8. La perspective d'une société où les services personnalisés seront de plus en plus remplacés par des machines rend les Français heureux. ☐ ☐

   Expression : _____

Analyse des idées

1. Quelles sont les « deux opinions très nettes » révélées par ce sondage ?

2. Y a-t-il des différences dans la satisfaction générale exprimée par les Français concernant les quatre grandes fonctions sociales ? Qu'est-ce que ces différences révèlent ?

3. Comment peut-on expliquer l'augmentation du budget de la santé ?

4. Où est-ce que le machinisme a commencé ? Comment influence-t-il notre vie aujourd'hui ?

5. Donnez trois exemples qui illustrent que le consommateur doit aujourd'hui faire lui-même le travail que d'autres personnes faisaient pour lui auparavant.

6. Quelle opinion est-ce que les Français ont des fast-foods ? Pourquoi ?

7. Quel changement est-ce que l'évolution technologique va produire dans le domaine des services ?

8. Quelle est l'attitude des Français envers ce changement dans le domaine des services ?

Activités orales

1. *Scène.* Tout va bien : Vous téléphonez à un service de vente par correspondance. Vous précisez ce que vous voulez. Vous demandez les conditions. Vous en êtes content(e). Avec un(e) camarade de classe, jouez la scène.

2. *Dialogue.* Rien ne va : Vous êtes mécontent(e) d'un service à domicile. Vous précisez le service. Vous parlez à la personne responsable du service et vous dites pourquoi vous en êtes mécontent(e). Jouez la scène avec un(e) camarade de classe.

Activités écrites

1. *Rédaction.* Vous racontez un mauvais souvenir ou un souvenir drôle de ce qui vous est arrivé une fois chez un fournisseur de services privés. Vous êtes-vous fâché(e) ou était-ce une situation comique ?

2. *Rédaction.* Services anonymes ou personnalisés ? Lesquels préférez-vous ? Expliquez.

Consommateurs: la parole est à la défense

[1] **Louis Mesuret,** U.f.c. (Union fédérale des consommateurs), « Que choisir ? » : « Face à l'extraordinaire développement des services, le consommateur n'a pas les mêmes réflexes de défense ni d'information. Les associations de consommateurs devront livrer un autre type de combat.

[2] **Marie-Hélène Dos Reis,** présidente de l'I.n.c. (Institut national de la consommation) : « En termes d'image, le consumérisme est moins, de nos jours, un consumérisme de combat qu'un consumérisme de gestion. L'information est capitale. Elle représente une partie du contrepouvoir. Il faut donc donner au consumérisme tous les moyens de s'exprimer. »

[3] **Marc Chambolle,** chargé d'études au département des sciences de la consommation (et ancien directeur du laboratoire des Coop) : « Dans le domaine des services, il y aura de plus en plus besoin d'un pouvoir de définition et d'un pouvoir de négociation. L'action des associations est donc très importante pour l'avenir. » ■

Que choisir ? L'information est capitale.

137

EXPLICATIONS

Les mots

[1] **« Que choisir ? »** : magazine de défense des consommateurs

livrer : faire

[2] **consumérisme** (m) : défense des intérêts du consommateur par des associations

gestion (f) : organisation

INTERACTION AVEC LE TEXTE

1. A votre avis, pourquoi les consommateurs ont-ils besoin d'être défendus ?

2. Que veut dire Louis Mesuret par « l'extraordinaire développement des services » ? Quelle en est la conséquence pour les consommateurs ?

3. Selon Marie-Hélène Dos Reis, « l'information est capitale ». De quel type d'information veut-elle parler ?

4. D'après Marc Chambolle, quel rôle les associations de consommateurs devront-elles jouer à l'avenir ?

Activités

1. *Discussion*. L'information et les consommateurs : Comment est-ce que les consommateurs peuvent obtenir des informations pour se protéger ? Comment peuvent-ils s'exprimer ?

2. *Rédaction*. Dans votre pays, qui défend les consommateurs ? Racontez un combat fait par un groupe ou une association de consommateurs.

Interview : « Il faut être le meilleur »

Grâce aux possibilités nouvelles offertes par l'électronique et les télécommunications, des sociétés transnationales de services se multiplient. Moyens de la compétivité entre les nations, les services s'exportent de mieux en mieux.

[1] **L'Express :** *Industriel — P.d.g. de Leroy-Somer — et « premier » ministre des Services, vous êtes, Georges Chavanes, à double titre, un observateur privilégié de l'évolution de ce secteur dans notre économie.*

[2] **Georges Chavanes :** Nous assistons, en effet, depuis vingt-cinq ans, à une montée irrésistible des services dans toutes les économies industrialisées. Avec la crise, la baisse de la croissance, la hausse vertigineuse de la concurrence, il ne suffit plus d'être bon, il faut être le meilleur. Le mot « compétitivité » change de sens : il ne s'applique plus seulement à la qualité du produit lui-même, mais à tout ce qui entoure sa fabrication : la recherche, les études, la maintenance, le service après-vente, la publicité... Les entreprises se concentrent alors sur leur activité principale et commencent à sous-traiter tout ce qui est annexe — des services pour la plupart.

[3] Les services représentent aujourd'hui, en France, 60 % de la population active et 75 % des créations d'entreprise. A la fin du siècle, notre économie sera une économie de services.

[4] *— Sont-ils alors appelés à remplacer l'industrie et l'agriculture ?*

[5] — Cela ne doit pas se passer ainsi... Je dirais que l'industrie et l'agriculture participent de la croissance quantitative de l'économie, les services, de la croissance qualitative. De même que l'industrie a fécondé l'agriculture en lui apportant la technique, les services, en ce moment, transforment l'industrie. Cette osmose industrie-services est un moteur d'innovation et de modernisation.

[6] *— N'est-ce pas là une vision un peu idéale ?*

[7] — Peut-être. Pour que cette évolution se poursuive dans de bonnes conditions, il faudra, il est vrai, modifier un certain nombre de nos règles et de nos comportements. Nous sortons de l'ère industrielle. Notre droit social et notre droit fiscal, comme nos procédures financières, sont essentiellement adaptés à l'industrie. Rien — ou, du moins, trop peu — n'est prévu pour une « ère tertiaire ».

[8] *— Pourtant, vous avez dit récemment que les services devaient être la « revanche de la France ». Qu'entendez-vous par là ?*

[9] — Nous sommes actuellement les vice-champions du monde de ce secteur : la France occupe le deuxième rang dans les nations exportatrices de services, derrière les Etats-Unis. Nous sommes très bien placés. Parce que, même si les Français ne sont pas aussi bons mécaniciens que les Japonais ou les Allemands, ils ne manquent pas d'imagination. Et les services, c'est ça : avoir une idée qui plaise, et la transformer en activité. C'est pour cette raison qu'il faut éviter de trop « normaliser » ce secteur. Le seul juge, c'est le client ; la règle, la concurrence. L'institutionnalisation risquerait de freiner les initiatives. ∎

EXPLICATIONS

Les mots

[1] **P.d.g. :** président directeur général
Leroy-Somer : entreprise de fabrication de moteurs et d'électronique

[2] **crise** (f) : *ici,* crise économique
baisse (f) : diminution
hausse (f) **vertigineuse :** très grande augmentation
concurrence (f) : rivalité entre producteurs
entreprise (f) : société, firme
sous-traiter : donner à faire par d'autres entrepreneurs
annexe : supplémentaire

[3] **population active :** ensemble des personnes qui travaillent

[5] **féconder :** *ici,* améliorer
osmose (f) : *ici,* coopération

[7] **ère tertiaire :** *ici,* époque des services

[8] **revanche** (f) : possibilité de regagner ce qu'on a perdu dans une compétition

[9] **qui plaise** (subjonctif de *plaire*) : que les gens aiment
freiner : ralentir, limiter

INTERACTION AVEC LE TEXTE

Les idées essentielles

Vrai ou faux ?
Justifiez votre réponse en citant une expression du texte.

	V	F
1. Le développement du secteur des services dans l'économie des pays industrialisés est de plus en plus rapide.	☐	☐

Expression : _____

| 2. Les Français doivent surtout être compétitifs dans la production de leurs produits. | ☐ | ☐ |

Expression : _____

| 3. Les services doivent remplacer l'industrie et l'agriculture. | ☐ | ☐ |

Expression : _____

| 4. Il n'est pas nécessaire de modifier les règles et les comportements de l'époque industrielle pour s'adapter à l'époque des services. | ☐ | ☐ |

Expression : _____

| 5. La France exporte beaucoup de services. | ☐ | ☐ |

Expression : _____

140

Analyse des idées

1. Pourquoi M. Chavanes est-il un « observateur privilégié » de l'évolution des services ?

2. Pourquoi le mot « compétitivité » change-t-il de sens ?

3. Qu'est-ce qui indique que l'économie française évolue vers une économie de services ?

4. Le ministre fait une distinction entre deux types de croissance. Lesquels ?

5. De quel type de croissance participent les services ?

6. Qu'est-ce qu'il faudra modifier en passant de l'ère industrielle à l'ère tertiaire ?

7. Selon le ministre, les Français possèdent une qualité qui les aidera à battre leurs concurrents dans le domaine des services. Laquelle ?

8. Comment cette qualité contribuera-t-elle au développement des services ?

LA PAROLE EST À VOUS

En utilisant les informations, les sondages et les opinions se trouvant dans les textes sur les services (pages 122–141), vous organisez des tables rondes.

Table ronde I
Où vont les services ? Quelle place occupent les services dans la vie quotidienne chez vous et en France ? Comment est-ce que les services évoluent ? Que pensez-vous de cette évolution ?

Table ronde II
Les Français semblent satisfaits. Et pourtant... : Des représentants d'associations de consommateurs discutent avec des fournisseurs de services sur le thème de la qualité des services. Y a-t-il détérioration ou amélioration ? Choisissez des exemples précis.

Table ronde III
Les services, une chance pour la France ? Faites la comparaison du rôle des services dans votre pays et en France.

Gym : on se calme !

La mode n'est plus à la souffrance. L'aerobic s'essouffle. La gym, oui, mais en douceur.

Le stretching efface les tensions.

[1] « Votre crampe, là, c'est pas une crampe. » Bon. Déjà que Marie déteste les profs de gym martiaux… Cette fois, c'est sûr, elle laisse tomber. « Avec leurs contorsions, je risquais le lumbago ou la déchirure musculaire. »

[2] C'était en 1989. Toute la France sautait, courait et se pliait à une folle cadence. Pour gagner son salut, il n'y avait qu'une voie : souffrir et transpirer dans des usines à muscles surpeuplées. Avec le sourire, de préférence. Comme Véronique et Davina, les deux prêtresses de l'aerobic à la télévision. Deux millions d'adeptes de la forme tentaient de les imiter. Avec plus ou moins de facilité.

[3] Aujourd'hui, partout, le mouvement s'essouffle. « A Orange, explique le gérant d'une salle de gym, les effectifs des maniaques de l'aerobic ont diminué de moitié. » Car la mode n'est plus à l'exagération.

[4] « On en est bien revenu, de tous ces trucs excessifs, confirme Didier Patacq-Croutzet, professeur de stretching à Paris. La clientèle préfère, aux sautillements répétitifs, les assouplissements effectués sur une musique plus calme. » La gym douce — l'autre était bel et bien dure — où prime la conscience de soi, du mouvement et du souffle. « Car être en forme, juge Thérèse Bertherat, apôtre de la gymnas-

tique douce et auteur des "Saisons du corps", c'est se connaître. On fait une injure à son corps en le faisant courir ou suer. »

« Une méditation en mouvement »

⁵ Mfmmh ! Les talons collés au sol, Marie-Hélène tente en vain d'y poser aussi les mains. C'est son premier cours de stretching. « Vous pouvez, grâce à cette discipline, explique Eric Heinrich, kinésithérapeute, agir sur les fibres musculaires en les allongeant. » Bref, le stretching débloque des tas de petits nerfs contractés. D'ailleurs, tous les sportifs de haut niveau — joggers et skieurs de compétition — font quelques-uns de ces mouvements en guise d'échauffement. Mais pas question d'étirer sans travailler la respiration. « Car on s'est trop longtemps fixé sur l'inspiration, cette position défensive », regrette Eric Heinrich.

⁶ Désormais, la tendance est à l'expiration. Pour expulser non seulement l'air vicié, mais aussi les soucis. « Je ne connais rien de mieux pour décrocher et effacer les tensions, conclut Daniel, pionnier du stretching. Ça détend terriblement. » « Et, contrairement à l'aerobic, constate Anne Bedault, qui dirige une salle de gym à Paris, c'est une perpétuelle improvisation. »

⁷ Mais, contre l'avachissement qui nous guette, le stretching n'est pas la panacée. Il y a aussi le taïchichuan, qui ne requiert, lui non plus, ni gymnastique ni petites foulées. Créé au XVIIᵉ siècle par un paysan chinois, le vénérable maître Yang, il a longtemps été assimilé à un art martial. Le fondateur de l'école pouvait, dit-on, envoyer un adversaire à dix mètres sans lever le petit doigt. « Mais c'est, en fait, une méditation en mouvement », enseigne James Kou, directeur de la fédération. Les enchaînements — circulaires, précis et excessivement lents — s'effectuent dans un silence absolu.

⁸ Quant aux autres, il leur reste l'aquabuilding ou « modelage du corps » dans l'eau. « La méthode permet de travailler cinq ou six muscles à la fois », explique Bernard Lebaz, créateur du genre. Au programme dans une piscine, battements de jambes, sauts divers et travail du triceps et des grands dorsaux. L'eau fait tout. Elle vous muscle, vous masse et vous assouplit. « Et tout ça à votre rythme », s'enthousiasme Lebaz.

⁹ Mais, à toutes ces pratiques dites douces, on peut préférer les vieilles méthodes éprouvées, les traditionnelles balades à vélo ou à pied. Une heure passée à trottiner au Luxembourg occasionne — c'est prouvé — la perte de 100 à 200 calories. Ce dont, d'ailleurs, beaucoup de joggers se contrefichent. Un sondage cité par le Dr Jean-Pierre Koralsztein, dans son dernier livre, « La Santé à l'épreuve du sport », révèle que, si 25 % des Français font du sport pour maintenir leur forme, 65 % d'entre eux s'activent d'abord pour le plaisir. Pas si fous, en somme.

SOPHIE GRASSIN ■

Exercices d'assouplissement à la piscine des Halles.

EXPLICATIONS

Les connotations culturelles

[3] **Orange :** ville du Midi de la France

[9] **le Luxembourg :** *ici*, le jardin du Luxembourg, grand jardin public se trouvant dans le quartier Latin à Paris

Les mots

gym (f) (fam) : gymnastique
s'essouffler : perdre son souffle ; *ici*, devenir moins populaire
en douceur : doucement

[1] **martial :** *ici*, très dur, strict
laisser tomber : *ici*, abandonner
déchirure musculaire (f) : accident musculaire

[2] **cadence** (f) : rythme
voie (f) : chemin
surpeuplé : où il y avait trop de gens
prêtresse (f) : *ici*, spécialiste
adepte (m ou f) **de la forme :** *ici*, personne qui veut être en forme, en bonne santé

[3] **gérant** (m) : administrateur
effectifs (m pl) : nombre

[4] **on en est bien revenu :** on a été désillusionné
truc (m) : chose
sautillement (m) : petit saut
assouplissement (m) : action de devenir souple
bel et bien : vraiment

primer : être le plus important
faire une injure à : insulter

[5] **kinésithérapeute** (m) : masseur
allonger : rendre plus long
en guise d'échauffement : pour s'échauffer
étirer : étendre

[6] **décrocher :** *ici*, éliminer
terriblement (fam) : beaucoup

[7] **avachissement** (m) : quand les muscles deviennent mous
guetter : *ici*, attendre
panacée (f) : remède miracle
foulée (f) : *ici*, action de courir
fédération (f) : association sportive

[8] **dorsaux** (m pl) : muscles du dos

[9] **balade** (f) (fam) : promenade
trottiner : courir à petits pas
occasionner : provoquer
se contreficher (fam) : se moquer

INTERACTION AVEC LE TEXTE

Les idées essentielles

Dans ce texte, on fait une comparaison entre trois types d'activités pour rester en bonne forme : la gym dure (l'aerobic), la gym douce et les « vieilles méthodes éprouvées ».

1. Qu'est-ce qui indique que l'aerobic n'est plus aussi populaire qu'avant.

2. Quels sont les trois principaux exemples de gym douce mentionnés dans le texte ?

3. Retrouvez deux arguments en faveur de la gym douce.

4. Quelles sont les « vieilles méthodes éprouvées » ?

Analyse des idées

1. Pourquoi est-ce que de plus en plus de gens abandonnent l'aerobic en faveur de la gym douce ?

2. D'après Thérèse Bertherat, à quoi doit servir la gymnastique ?

3. Pourquoi fait-on allusion aux joggers et aux skieurs quand on parle de stretching ?

4. Quel rôle est-ce que la respiration joue dans le stretching ?

5. Qu'est-ce qui distingue le stretching de l'aerobic ?

6. Quelle est l'origine du taïchichuan ?

7. Quels sont les bienfaits de l'aquabuilding ?

8. Quelle activité physique est suffisante pour perdre de 100 à 200 calories en une heure ?

9. Pourquoi est-ce que la plupart des Français font du sport ?

10. « Gym : on se calme ». Pourquoi est-ce que ce titre résume bien le texte ?

Activités orales

1. *Discussion.* Vous et la forme ! A votre avis, est-il important de garder la forme ? Qu'est-ce que vous faites pour être en forme ? Posez des questions à vos camarades de classe pour savoir ce qu'ils/elles font (aerobic, gym, sport etc.). Discutez des bienfaits respectifs de chacune de ces activités.

2. *Dialogue.* François(e) vient de décider d'arrêter l'aerobic pour faire de la gym douce. Il/Elle essaie de convaincre son ami(e) de faire la même chose. Mais son ami(e) veut continuer à faire de l'aerobic. Chaque personne explique à l'autre les raisons de son choix.

3. *Discussion.* Etre en bonne forme est à la mode. A votre avis, est-ce que cette mode est excessive ? Croyez-vous qu'on accorde trop d'importance au corps et aux activités sportives ?

Activités écrites

1. *Rédaction.* Si vous deviez choisir entre « les traditionelles balades à vélo ou à pied », la gym ou le sport, quelle activité choisiriez-vous ?

2. *Lettre.* Vous écrivez à un(e) ami(e) en France pour lui parler des activités physiques et sportives à la mode dans votre pays.

3. *Affiche.* Vous êtes professeur de stretching. Rédigez une petite affiche publicitaire où vous faites l'éloge des gyms douces et où vous invitez les gens à participer à vos classes.

Le goût des bistrots retrouvé

*Le charmant
Square Trousseau
et son patron.*

*Dans un bistrot, on mange bien ; le prix est
raisonnable et le service agréable.*

¹Qu'EST-CE QU'un bistrot ? Tout simplement
un restaurant où l'on mange bien, à des prix
raisonnables, et où l'on est servi avec cette gen-
tillesse simple qui donne envie d'y prendre des
habitudes et d'y « avoir son rond ». En voici
trois.

Le Square Trousseau

² Un quartier populaire, avec ses artisans, ses
petites boutiques d'un Paris de carte postale et

son marché de la place d'Aligre, sans doute l'un
des moins chers et des mieux approvisionnés de
la ville, même si parfois tomates et prunes y sont
très mûres… Le charme a survécu aux temps
modernes, ainsi que ce ravissant bistrot, au
bord du square Trousseau. Il y a quelques années, le père est mort. La mère, vêtue de noir, le
chien, neurasthénique, et le fils ont tenté de
prolonger la dynastie limonadière. Enfin ils ont
cédé la place à un jeune homme plus ambitieux.
Il a rafraîchi le décor sans l'abîmer, et a rajeuni
la carte, sans extravagance et sans « gonfler » les
prix. La jeune entreprise est très réussie. Dans
la tradition. On a conservé la petite salle de
restaurant, en l'élargissant à la partie qui était
réservée au café, on a repoussé le joli comptoir
de bois travaillé au fond et repeint les plafonds à
guirlandes de fleurs. De jolis lustres, des mi-
roirs, quelques vieux portraits de grands-pères,
des objets nostalgiques et des tables nappées de
blanc. Dans ce joli passé retrouvé, une clientèle
plutôt jeune vit ici des déjeuners romanesques
et bavards. La jeune femme au service, en ta-
blier noir, est souriante, et le patron raconte ses
plats avec une joviale gourmandise. Délicieuse
terrine de poireaux à la vinaigrette d'herbes
(36 F), salade de mesclun au lapereau (47 F),
soupe printanière crémeuse au cerfeuil (34 F).
Noisette de lotte au bacon et au vinaigre d'écha-
lote (92 F), pièce de bœuf au chinon et à la

L'Emile,
rue Jean-Jacques Rousseau,
naturellement.

moelle (76 F), pigeonneau de l'Oise, aigre-doux, à la sauce de cresson (104 F). Délicieux œufs à la neige, nappés de caramel (28 F). Muscadet (60 F), gamay (54 F).

Le Square Trousseau, 1, rue Antoine-Vollon, XIIe, 43.43.06.00. Tous les jours, sauf le dimanche et le lundi midi, jusqu'à 23 heures.

Les Fontaines

[3] Près du Panthéon, c'est un bistrot d'autrefois, rénové sans tentatives modernistes. Une première salle avec un vrai comptoir derrière lequel on fait la plonge et, au bout, la caisse, tenue par une dame gourmande. Derrière, après quelques marches, une autre petite salle. Des banquettes de moleskine, des plantes fleuries, un patron qui est un bougnat authentique, et un serveur costaud et efficace qui n'aime pas sourire. Là aussi, on aime la tradition, avec, en plus, cette petite note Quartier latin, où des dîneurs venus du Collège de France et de la Sorbonne sont heureux d'échanger des propos hermétiques. Ils croient que c'est très bon, comme beaucoup de nos confrères qui, ces derniers temps, ont écrit abondamment que l'endroit est remarquable. Ce qui n'est pas notre avis. Lisettes marinées (23 F), où l'on a mélangé le cru mou et le cuit sec, petit pâté chaud à la façon de Souillac (35 F), drôle de façon ! Chevreau rôti, dit « à la polonaise » (60 F), trop salé et couvert d'ail, ce qui en gâche le goût léger, langue de bœuf charcutière (40 F), plat traditionnel s'il en est, mais qui ne doit pas nécessairement rappeler les can-

tines. Nègre en chemise (27 F). Vin de pays en pichet (12,60 F les 50 cl).

Les Fontaines, 9, rue Soufflot, Ve, 43.26.42.80. Tous les jours, sauf le dimanche, jusqu'à 22 heures.

L'Émile

[4] Les Halles sont parties, et les bistrots ont changé de main et de clientèle. Ce fut quelque temps Le Cirque, un restaurant qui essaya d'être « branché ». Aujourd'hui, Nicole Moreau, une ancienne journaliste, charmante, a transformé la maison en « bistrot de copains », tout aussi sympathique qu'elle. Une salle simple, tout en longueur, avec des tables nappées de rose, des banquettes vertes, des plantes vraies et fausses, et un comptoir de bois. On est bien dans l'univers de cette patronne cultivée — son enseigne est une référence au nom de la rue — qui considère ses clients comme des amis et se réjouit quand les conversations se mêlent, de table en table, entre comédiens, journalistes et Parisiens de tout poil qui s'attardent devant des plats agréables. Œufs en meurette (35 F), salade de lentilles au saumon fumé (40 F). Fricassée de poulet au vinaigre (70 F), poitrine de veau farcie (70 F). Fondant au chocolat Célimène (35 F), pruneaux confits au vin (35 F). Vin en pichet (50 F le litre).

L'Emile, 76, rue Jean-Jacques Rousseau, Ier, 42.36.58.58. Tous les jours, sauf le samedi et le dimanche, jusqu'à minuit.

DOMINIQUE VALLIÈRE ■

EXPLICATIONS

Les connotations culturelles

[2] **la place d'Aligre :** dans le douzième arrondissement de Paris, au nord de la gare de Lyon

[3] **le Panthéon :** monument célèbre du Quartier latin à Paris

le Collège de France : institut universitaire où des professeurs très connus donnent des conférences

la Sorbonne : autrefois la seule Université de Paris

[4] **les Halles :** Le grand marché de provisions alimentaires qui se trouvait aux Halles au centre de Paris est aujourd'hui situé en dehors de Paris, près de l'aéroport d'Orly. Dans le quartier des Halles, il y avait beaucoup de cafés et de bistrots où les marchands se réunissaient.

Les mots

retrouvé : redécouvert

d'y « avoir son rond » : *ici*, d'y retourner souvent

Le Square Trousseau

de carte postale : qui ressemble aux images traditionnelles sur les cartes postales

approvisionné : fourni en légumes et fruits à vendre

survivre (p.p. *survécu*) : *ici*, résister

ravissant : charmant

neurasthénique : triste et déprimé

prolonger... limonadière : continuer le métier de cafetier (personne qui tient un café)

abîmer : détériorer

carte (f) : menu

gonfler : *ici*, augmenter excessivement

lustre (m) : appareil d'éclairage suspendu au plafond

nappées de blanc : recouvertes d'une nappe blanche

vivre (elle *vit*) : *ici*, apprécier

délicieuse terrine... cerfeuil : des hors d'œuvre

noisette... cresson : des plats principaux (poisson, viande)

délicieux œufs... caramel : un dessert

muscadet, gamay : des vins

Les Fontaines

sans tentatives modernistes : sans essayer de créer un décor très moderne

faire la plonge (fam) : faire la vaisselle

gourmande : *ici*, grosse car elle aime trop manger

bougnat (m) : marchand de charbon. Les bougnats d'autrefois tenaient souvent un petit café.

costaud : robuste

échanger des propos hermétiques : avoir des conversations sur des sujets difficiles à comprendre pour les non-initiés

confrère (m) : collègue (*ici*, les autres journalistes)

ces derniers temps : récemment

lisettes marinées ; petit pâté... Souillac : des hors d'œuvre

cru (m) : ce qui n'a pas été cuit

à la façon de : à la manière de

drôle de façon : idée bizarre

Chevreau rôti ; langue de bœuf charcutière : des plats de viande

trop salé : où il y a trop de sel

traditionnel s'il en est : vraiment traditionnel

cantine (f) : restaurant pour les élèves d'un établissement scolaire. La cuisine de cantine n'est pas très soignée.

nègre en chemise : nom d'un dessert

en pichet : pas en bouteille, mais versé dans un récipient ressemblant à un pot

L'Emile

changer de main : changer de propriétaire

branché : très à la mode

nappées de rose : recouvertes d'une nappe rose

son enseigne... rue : Le nom du bistrot, « L'Emile », est une référence au livre célèbre du philosophe Jean-Jacques Rousseau (1712–1778) dont cette rue porte le nom.

se réjouir : *ici*, être très contente

se mêler : *ici*, avoir lieu
de tout poil (fam) : de toute sorte
s'attarder : *contr.*, se dépêcher

œufs... fumé : des hors d'œuvre
fricassée... farcie : des plats principaux
fondant... au vin : des desserts

INTERACTION AVEC LE TEXTE

Les idées essentielles

A. Complétez les phrases suivantes en utilisant les informations données dans le texte :

1. Dans un bistrot on mange _____.

2. Dans un bistrot les prix sont _____.

3. Dans un bistrot le service est _____.

4. Dans un bistrot la clientèle aime _____.

5. Le Square Trousseau est fermé le _____.

6. On peut aller dîner aux Fontaines jusqu'à _____.

7. Pendant le week-end, on ne peut pas manger à _____.

8. Le Square Trousseau se trouve dans le _____ arrondissement, Les Fontaines dans le _____ arrondissement et L'Emile dans le _____ arrondissement de Paris.

B. Vous êtes à Paris. Lequel des trois bistrots allez-vous choisir si...

1. vous aimez les petits marchés pittoresques de Paris ?

2. vous cherchez un bistrot dans le Quartier latin ?

3. vous êtes dans l'ancien quartier des Halles ?

Analyse des idées

A. *Ambiance qui rappelle les traditions du passé*. Retrouvez dans la description des bistrots les objets et les éléments du décor qui recréent cette ambiance.

B. *Comparaison des trois bistrots*. Complétez le tableau ci-dessous avec des informations données dans le texte :

	Le Square Trousseau	Les Fontaines	L'Emile
l'adresse (f)			
la situation			
l'ambiance (f)			
le décor			
la clientèle	plutôt jeune	« universitaire »	comédiens, journalistes, Parisiens de toute sorte
le patron (la patronne)			
le serveur (la serveuse)			
la carte/le menu			
le prix des plats			
le prix des boissons			

C. *Appréciation de la journaliste*. Pour chaque bistrot dites si la journaliste exprime un jugement positif ou négatif sur l'endroit, sur les gens et sur la cuisine.

Activités orales

1. *Dialogue*. Vous allez dîner avec un(e) ami(e) dans un des trois bistrots. Le serveur ou la serveuse vous présente la carte. Vous lui posez des questions avant de décider avec votre ami(e) ce que vous allez commander.

2. *Discussion*. Avec vos camarades de classe, vous comparez la carte de ces bistrots et la carte d'un restaurant (ou de plusieurs restaurants de votre ville). Commentez les différences en montrant ce que celles-ci révèlent sur les traditions gastronomiques en France et dans votre pays.

Activités écrites

1. *Rédaction*. Rédigez, pour un guide destiné à des touristes français, un article où vous présenterez un café, un bistrot ou un restaurant de votre ville.

2. *Description*. Vous êtes décorateur/décoratrice. On vous a demandé de rénover un petit restaurant et de créer un bistrot qui a le charme d'autrefois. Décrivez le nouveau décor en disant comment vous avez créé l'ambiance du passé.

LANGUE FRANÇAISE
ET FRANCOPHONIE

Le club aux 200 millions de membres

Une organisation pas comme les autres. Ce qui unit les 40 pays représentés à Québec, c'est plus qu'une langue... L'amorce d'une solidarité ?

Du sommet de Versailles à celui de Québec (au Château Frontenac), priorité à l'action.

« **L**'OPINION NE SE SENT pas encore concernée par la francophonie. Mais elle peut le devenir », déclarait, voilà un an, François Mitterrand. Aujourd'hui, tandis que s'achève la conférence de Québec, l'ambassadeur de France, Jacques Leprette, président du comité international, constate : « La francophonie est à la mode. Le sommet de Versailles, il y a dix-huit mois, a été une sorte de déclenchement. »

[2] Fidèles à leur deuxième rendez-vous, une quarantaine de « chefs d'Etat et de gouvernement des pays ayant en commun l'usage du français ». La France et le Québec, d'abord, qui reconnaissent au français le statut de langue officielle unique. La Suisse, la Belgique et la plupart des républiques africaines, ensuite, qui disposent de plusieurs langues nationales, dont le français. Et tous ceux, nombreux, qui l'utilisent dans l'enseignement ou pour les communications avec l'extérieur : de la Guinée-Bissau à Haïti.

[3] Francophonie ? Le terme ne plaisait pas à tout le monde : il impliquait, sinon des relents colonialistes, du moins une participation de la France par trop hégémonique. Le président de la République, lui-même, a reproché aux Français de se croire « encore un peu trop propriétaires » de leur langue, « en oubliant que leur grandeur et leur force viennent maintenant d'être mises en copropriété (...) avec des centaines de peuples ». C'est pourquoi les Vietnamiens ont suggéré de substituer au vocable « francophonie » l'expression « pays ayant en commun l'usage du français ». Formule habile pour obtenir le consensus de nations qui, en d'autres circonstances, refuseraient de s'asseoir à la même table. « Depuis longtemps, ces chefs d'Etat souhaitaient confusément se réunir », dit un diplomate. Ils ont trouvé leur style : un groupe original auquel chacun a ses raisons nationales de participer et qui peut débattre librement. Bien sûr, sans interprètes !

[4] Une inquiétude commune : partout, le français régresse. Le fait n'est pas nouveau. Longtemps langue pri-

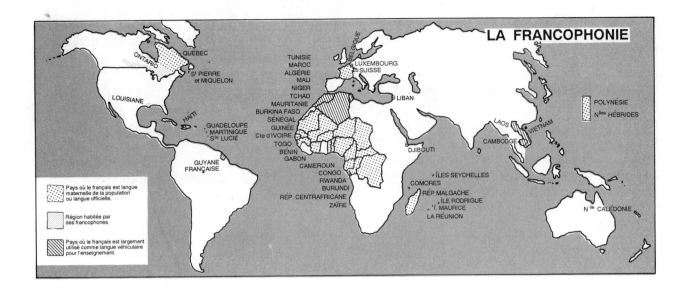

LA FRANCOPHONIE

Pays où le français est langue maternelle de la population ou langue officielle.

Région habitée par des francophones.

Pays où le français est largement utilisé comme langue véhiculaire pour l'enseignement.

vilégiée de la littérature et de la diplomatie, il n'est plus qu'un idiome parmi d'autres : au dixième ou onzième rang mondial, avec, au maximum, 200 millions de locuteurs. Loin derrière l'anglais, seule véritable langue de communication mondiale. Loin aussi du chinois et de l'hindi, portés, l'un et l'autre, par une démographie galopante. Dépassé par l'arabe, l'espagnol et le portugais.

⁵ Pour recouvrer son lustre passé, le français possède pourtant la chance unique d'être, avec l'anglais, la seule langue qui ait su se maintenir sur les cinq continents, soit en dehors de son aire d'expansion géographique et historique. Il jouit d'un statut particulier dans des systèmes politiques, économiques, religieux ou ethniques de toutes sortes. Il garde, par son ancienneté et sa diffusion, la capacité d'expression de tous les registres du savoir et peut être, de ce fait, un véritable outil de développement économique et social.

⁶ C'est ce qu'ont compris les promoteurs de l'idée d'unification des francophones, qui, notons-le, n'étaient pas français. Ceux qui ont relancé l'idée de la francophonie furent Senghor, Bourguiba, Hamani Diori et quelques autres. Elle trouve un cadre concret une vingtaine d'années plus tard, différent de tout ce qui avait été fait auparavant : une conférence qui ne traduit pas une solidarité politique comme l'Otan ou le Comecon, pas une solidarité économique comme la zone franc, ni continentale comme les organisations africaines ou d'Amérique latine — OUA et OEA. Ce n'est, enfin, pas le Commonwealth confirmation d'anciens liens coloniaux avec la couronne britannique.

⁷ Dans l'idée de ses promoteurs, la francophonie est l'affirmation d'une solidarité nouvelle pour le développement et le modernisme. Fondée sur la reconnaissance du fait que le français est non seulement la langue de Vaugelas, mais aussi celle de Bourbaki et des

Encyclopédistes. Dans l'improvisation du début, ce n'a pas été une mince affaire d'organiser la cohabitation des nations riches d'Europe et d'Amérique du Nord avec les Etats du Maghreb, les pays d'Afrique noire, tels le Burkina et la République malgache, révolutionnaires, le Vietnam et son appendice laotien, communistes. Même les îlots de Sainte-Lucie et de la Dominique, qui n'ont jamais été colonies françaises, sont présents. L'Algérie et le Cameroun, eux, manquent toujours à l'appel.

⁸ Au secrétariat d'Etat à la francophonie, un maître mot : favoriser l'initiative privée, notamment dans le domaine des actions culturelles telles que la chanson, les films et festivals francophones. Mais il faut, d'abord, sauver la langue. C'est pourquoi les premières décisions de la conférence de Versailles, renforcées à Québec, sont allées dans ce sens : création d'un baccalauréat francophone international, diffusion de clas-

siques en livres de poche (Victor Hugo, poésie africaine et littérature maghrébine), extension de TV 5, chaîne de télévision francophone, création d'une agence internationale d'images, etc. Les quarante ont aussi décidé de projets plus tournés vers l'avenir : les Québécois ont eu l'idée de vouloir peupler l'espace francophone grâce aux technologies de pointe. Le développement de programmes scientifiques, techniques et informatiques en agriculture et dans les industries de la langue et de la communication est donc à l'ordre du jour.

⁹ De plus en plus de voix militent, dans le tiers monde, pour que ces quarante pays qui ont en commun l'usage du français tentent de dépasser à court terme leurs égoïsmes. Pour faire de cette conférence un nouveau forum du dialogue Nord-Sud, et du français, la « langue du non-alignement », pour reprendre le souhait du ministre égyptien Boutros-Ghali. Pour que la francophonie devienne, selon l'idée du géographe Onésime Reclus, qui inventa la formule au XIXᵉ siècle, « l'espace privilégié des droits de l'homme ». Mais cela sera une autre longue histoire...

JEAN-FRANÇOIS LEVEN ■

EXPLICATIONS

Les connotations culturelles

¹ **la francophonie** : association culturelle et politique des pays où l'on parle le français

⁶ **François Mitterrand** : président de la France élu en 1981, réélu en 1988

le sommet de Versailles : la première réunion des pays francophones a eu lieu en 1986 à Versailles en France ; la deuxième réunion à Québec en 1987 ; la troisième à Dakar en 1989 ; la quatrième à Paris en 1991.

un(e) francophone : personne qui parle le français

Léopold Senghor (né en 1906) : ancien président du Sénégal

Habib Bourguiba (né en 1903) : ancien président de la Tunisie

Hamani Diori (né en 1916) : ancien président du Niger (pays africain)

l'Otan : Organisation du traité de l'Atlantique Nord, association de défense militaire regroupant des pays de l'Europe occidentale et l'Amérique du Nord

le Comecon : ancienne organisation économique qui regroupait l'Union soviétique et d'autres pays communistes

l'OUA : l'Organisation de l'Unité africaine

l'OEA : l'Organisation des Etats d'Amérique latine

⁷ **Vaugelas** (1585–1650) : auteur et grammairien français

Bourbaki : pseudonyme d'un groupe de mathématiciens français

les Encyclopédistes : nom donné aux philosophes et aux savants français du XVIIIᵉ siècle qui ont écrit des articles pour l'« Encyclopédie »

le Maghreb (adj : **maghrébin[e]**) : pays de l'Afrique du Nord (le Maroc, la Tunisie, l'Algérie)

⁸ **le secrétariat d'Etat à la francophonie** : secrétariat d'Etat du gouvernement français qui s'occupe des relations avec les pays francophones

Victor Hugo (1802–1885) : célèbre auteur de poésie, de romans et de pièces de théâtre

⁹ **le tiers monde** : les pays en voie de développement

Les mots

amorce (f) : commencement

[1] **opinion** (f) : *ici,* opinion publique
déclenchement (m) : *ici,* commencement

[3] **relent** (m) : *ici,* souvenir
hégémonique : puissant, dominant
mises en copropriété : *ici,* partagées
vocable (m) : mot
souhaiter confusément : avoir l'idée imprécise
de

[4] **locuteur** (m) : personne qui parle
galopant : qui augmente très vite

[5] **recouvrer** : retrouver
lustre (m) : gloire
soit : c'est-à-dire
jouir de : bénéficier de

[6] **cadre** (m) **concret** : contexte précis

[7] **mince affaire** (f) : petit travail
manquer à l'appel : être absent

[8] **de pointe** : d'avant-garde
informatique : utilisant les ordinateurs
être à l'ordre du jour : être au programme

[9] **militer** : *ici,* se font entendre clairement

INTERACTION AVEC LE TEXTE

Les idées essentielles

A. **Francophonie et géographie**

La langue française est présente sur les cinq continents du monde. En vous aidant de la carte et du texte, faites les activités suivantes.

1. Complétez le tableau ci-dessous en donnant le nom de trois pays « francophones » pour chaque continent :

L'Europe	L'Afrique	L'Amérique	L'Asie	L'Océanie (pays de l'océan Pacifique)

2. Citez le pays et la province où le français est la langue officielle.

3. Citez quatre pays où le français est une des langues officielles.

4. Citez quatre pays où le français est la langue d'enseignement.

B. Répondez aux questions suivantes.

1. L'organisation des pays francophones est différente des autres organisations internationales. Expliquez pourquoi elle est différente :

   a. de l'Otan et du Comecon ;

   b. de l'OUA et de l'OEA ;

   c. du Commonwealth.

2. Le français, comme l'anglais, joue un rôle important dans beaucoup d'activités humaines à travers le monde. Retrouvez dans le texte des exemples de ces activités (par exemple, la littérature).

Analyse des idées

1. Quelles étaient dans le passé les relations entre la France et la plupart des pays francophones ?

2. Quelle expression est suggérée pour remplacer le terme « francophonie ». Pourquoi ?

3. Les pays francophones « ont une inquiétude commune ». Trouvez trois raisons dans le texte qui justifient cette inquiétude.

4. Quelles décisions ont été prises aux réunions de Versailles et de Québec pour « sauver » la langue française ?

5. Dans le neuvième paragraphe, on propose d'autres domaines où la francophonie pourrait, à l'avenir, prendre une nouvelle dimension. Quels sont ces domaines ?

Activités orales

1. *Dialogue.* Un(e) ami(e) essaie de vous convaincre d'étudier autre chose que le français. Vous défendez votre décision d'étudier cette langue.

2. *Interview.* Vous êtes journaliste. Vous interviewez un(e) jeune Québécois(e) pour savoir quelle est l'importance du français dans sa vie (avantages d'être bilingue, traditions culturelles différentes, place unique du Québec sur le continent américain, solidarité avec d'autres pays francophones, etc.).

3. *Débat.* Les objectifs de la francophonie.

Activités écrites

1. *Lettre.* Vous êtes chargé(e) d'organiser la prochaine réunion des 40 pays francophones sur le thème « La francophonie : un moyen de faire des choses ensemble ». Vous écrivez une lettre au représentant de l'un de ces pays pour l'inviter à la réunion. Vous expliquez pourquoi ce thème a été choisi.

2. *Rédaction.* Quel rôle le français peut-il jouer dans la coopération internationale entre l'Europe, l'Afrique, l'Asie et l'Amérique ?

Le français se parle au futur

Une école au Togo : l'avenir de la langue française se joue hors de l'Hexagone.

[1] QUEL EST LE POINT commun entre la langue française, le monstre du loch Ness et Marilyn Monroe ? Très simple : il s'agit de trois fantasmes collectifs. Trois mythes que propagent toutes sortes de clichés, plus ou moins extravagants. Pêle-mêle : le français ne se prononcerait bien qu'en Touraine ; les enfants ne connaîtraient plus l'orthographe ; les Québécois auraient conservé le parler du XVIIIe siècle ; le français se prêterait mal à la création de mots scientifiques ; ce qui n'est pas dans le dictionnaire ne pourrait ni se dire ni s'écrire ; les patois seraient du français déformé par des paysans incultes. De toute façon, concurrencée par l'anglais, atteinte dans sa pureté par les Français eux-mêmes, notre langue serait vouée à disparaître.

Orthographe moribonde, syntaxe relâchée, impérialisme de l'anglais : le français serait-il entré en agonie ? Faux : c'est aujourd'hui la langue occidentale qui progresse le plus vite dans le monde. Mais son avenir se joue désormais hors de l'Hexagone.

[2] Pauvres linguistes ! Ils ont beau publier chaque année des rayons entiers de livres pour démentir ces allégations, rien n'y fait. On ne raisonne pas les amoureux. Et les Français le sont de leur langue. Ils l'aiment, même s'ils la maltraitent, dans ses moindres détails. Prêts à s'entre-tuer pour un accent circonflexe. L'hypothèse d'une réforme de l'orthographe suffit pour les dresser les uns contre les autres.

[3] Le plus extraordinaire, c'est que les Français n'ont aucune idée de ce que leur langue est réellement ! « Il faudrait déjà leur expliquer que ce n'est pas à proprement parler du français, lance le sociolinguiste Pierre Encrevé, puisque les Francs, en s'installant en Gaule, ont adopté — chose exceptionnelle — la langue du vaincu. » Première leçon de modestie : nous parlons donc roman, ou, si l'on préfère, un latin abâtardi assaisonné d'emprunts multiples. Et pour cause : les langues n'ont d'autre moyen pour évoluer que de faire du neuf avec du vieux, en puisant, par exemple, dans le grenier des langues mortes (ce qui donne parfois naissance à de drôles d'hybrides, comme automobile, grec jusqu'à la taille et latin au-delà), ou en important des termes nés à l'étranger. Le français en est truffé. Félicitations à celui qui

reconnaîtra sans faillir l'origine scandinave de homard ; néerlandaise, de cauchemar et de chaloupe ; espagnole, de bandoulière, de camarade ou de bizarre ; italienne, d'escapade, de banque, de bosquet, de carnaval, ou de charlatan ; arabe, de tasse, de chiffre, de jupe, de zénith. Le pur et beau français a tout l'air d'un patchwork ! Cela dit, les autres langues nous ont tout aussi largement pillés, et l'on trouve des mots français partout : « tchantilly » au Chili, « chalet » (pour villa) en Espagne, « soubrette » (réservé aux danseuses de music-hall) en Italie, « canaille », en Allemagne, « comme ci, comme ça » en Grande-Bretagne, etc.

4 « Personne n'a encore trouvé la méthode infaillible pour créer des mots qui marchent à coup sûr », assure Gabrielle Quemada, de l'Institut national de la langue française (Inalf). Il s'en fabrique chaque jour, sans qu'on puisse prédire lequel s'intégrera ou sera éliminé dans les trois mois. « A l'époque, bicyclette, jugé monstrueux, ne devait pas passer la nuit ! » rappelle cette linguiste. Les mots, ce sont les Français eux-mêmes (et pas uniquement les auteurs de romans policiers ...) qui se chargent de les inventer. Les jargons professionnels, sportifs, techniques en produisent quotidiennement. Exemple : pour éviter l'ambiguïté, orale, entre l'apesanteur et la pesanteur, les techniciens de l'aéronautique ont trouvé impesanteur. Astucieux et parfaitement formé, il a de bonnes chances de passer dans l'usage. Nous le saurons dans quelques années ! Au total, depuis 1960, des centaines de milliers de néologismes ont été enregistrés par les linguistes de l'Inalf. Et cela en trente ans ! Bien sûr, tous ne s'implanteront pas durablement. Belle preuve de créativité, quand on sait que le « Nouveau Dictionnaire Hachette de notre temps » ne recense que 50 000 mots ; le « Grand Robert », en 9 volumes, 80 000 ; et le « Grand Larousse universel » en 15 volumes, 100 000... Combien de vocables la langue française compte-t-elle actuellement ? est-on alors tenté de demander. L'Inalf en a répertorié 800 000 (dont 500 000 termes techniques). Mais il en existe infiniment plus.

5 Pour se faire une idée de ce qu'est aujourd'hui notre langue, il faudrait ajouter à la nomenclature des dictionnaires non seulement l'ensemble des mots de patois et des tournures régionales, mais aussi l'interminable liste des néologismes (argots inclus) et des termes techniques. Et l'on aurait encore oublié des dizaines de milliers de mots ! Lesquels ? Ceux qui sont nés hors de France : en Suisse, en Afrique, au Québec, en Belgique, au Maroc, en Algérie, aux Antilles, à Madagascar, bref, partout où l'on parle... français. Où l'on préfère dire frousser plutôt qu'avoir peur (au Zaïre), faire le chat que faire l'école buissonnière (en Belgique), mouchenez que mouchoir (en Louisiane), avoir la bouche sucrée qu'aimer parler (au Bénin), etc.

6 Tandis que nos académiciens planchent sur la lettre D des millions de bébés naissent dans les pays francophones d'Afrique noire et du Maghreb. Beaucoup plus nombreux là-bas que chez nous, comme chacun sait. D'où ce constat optimiste de Philippe Rossillon, président de l'Institut de recherche sur l'avenir du français (Iraf) : « Le français est aujourd'hui la langue indo-européenne qui progresse le plus vite au monde. » Consé-

Les membres de l'Académie française.

quence inéluctable : avant la fin du siècle, parmi les francophones, les Français de l'Hexagone deviendront minoritaires. 120 millions de personnes sont, actuellement, capables de s'exprimer en français. 170 le seront, probablement, vers l'an 2000. Le français sera alors devenu une langue essentiellement utilisée hors de France.

ODILE PERRARD ■

EXPLICATIONS

Les connotations culturelles

l'Hexagone : la France. On dit que la France a la forme d'un hexagone.

[1] **la Touraine :** région du centre de la France. Beaucoup de gens croient que c'est là qu'on parle le français le plus pur.

les Québécois : les habitants du Québec au Canada

[3] **les Francs :** peuplades germaniques qui occupaient la région du Rhin, de la Belgique et de la Hollande

la Gaule : nom de la France, du temps des Romains

[6] **les académiciens :** les membres de l'Académie française (créée en 1634). Leur travail principal est de rédiger et de mettre à jour le « Dictionnaire de la langue française »

le Maghreb : pays de l'Afrique du Nord (le Maroc, la Tunisie, l'Algérie)

Les mots

moribond : en train de mourir

relâché : *ici,* pas très correcte

agonie (f) : période précédant la mort

[1] **fantasme** (m) : *ici,* idée fausse

propager : faire connaître partout

pêle-mêle : *ici,* voici des exemples de ces clichés

patois (m) : dialecte local

inculte : sans éducation

concurrencée par : en compétition avec

atteinte : maltraitée

vouée à : condamnée à

[2] **ils ont beau publier :** même s'ils publient

démentir : dire le contraire de

dresser les uns contre les autres : *ici,* mettre en conflit

[3] **lancer :** *ici,* dire

vaincu (m) : cf. vaincre ; *ici,* le peuple qui a subi la défaite

abâtardi : qui n'est pas pur

puiser : emprunter, prendre

jusqu'à la taille : *ici,* pour la moitié du corps

en est truffé (fam) : *ici,* en contient beaucoup

sans faillir : sans se tromper

patchwork : une couverture composée de différents morceaux de tissu

piller : voler

[4] **à coup sûr** (fam) : *ici,* toujours, sans aucun doute

ne devait pas passer la nuit (fam) : était condamné à mourir

se charger de : *ici,* être responsable de

néologisme (m) : mot nouveau

astucieux : ingénieux, subtil

recenser : *ici,* contenir

vocable (m) : mot

répertorier : *ici,* compter

[5] **tournure** (f) : forme particulière donnée à une expression

argot (m) : langue inventée et parlée dans un certain milieu

faire l'école buissonnière : se promener au lieu d'aller à l'école

[6] **planchent** (fam) **sur la lettre D :** travaillent sur les mots commençant par D (pour la rédaction de leur dictionnaire)

inéluctable : inévitable

INTERACTION AVEC LE TEXTE

Avant de lire

Compréhension du titre et du sous-titre

Lisez le titre et le sous-titre et répondez aux questions suivantes :

1. Quelles sont deux critiques qu'on pourrait faire actuellement de la langue française ?

2. Du point de vue de la langue française, pourquoi est-ce que l'« impérialisme de l'anglais » pourrait menacer l'avenir du français ?

3. Est-ce que la question « Le français serait-il entré en agonie ? » formule une hypothèse optimiste ou pessimiste sur l'avenir du français ?

4. Quelle est la réponse donnée à cette question ? Est-ce que cette réponse exprime une attitude optimiste ou pessimiste ?

5. Est-ce l'avenir du français dépend seulement de la France ?

Les idées essentielles

A. **Vrai ou faux ?**

Justifiez votre réponse en citant une expression du texte.

	V	F
1. Les Français ont beaucoup d'idées fausses sur leur langue.	☐	☐

Expression : _____

2. Les Français parlent toujours un français très pur. ☐ ☐

Expression : _____

3. Le français vient de la langue des Francs qui ont envahi la Gaule il y a très longtemps. ☐ ☐

Expression : _____

4. Le français vient essentiellement du latin. ☐ ☐

Expression : _____

5. Le mot « bizarre » est d'origine hollandaise. ☐ ☐

Expression : _____

6. Tous les mots nouveaux créés en français durent longtemps. ☐ ☐

Expression : _____

7. Il existe plus de 800 000 mots dans la langue française. ☐ ☐

Expression : _____

8. Vers l'an 2000 la plupart des francophones habiteront en France. ☐ ☐

   Expression : _____

B. Le français qu'on parle dans les « pays ayant en commun l'usage du français » n'est pas exactement le même que celui qu'on parle en France. Complétez le tableau ci-dessous :

Le français (de France)	Le français d'un pays ou d'une région francophone (précisez le nom)
avoir peur	_____ (_____)
_____	faire le chat (_____)
le mouchoir	_____ (_____)
_____	avoir la bouche sucrée (_____)

Analyse des idées

1. Pourquoi est-ce qu'il n'est pas très logique d'appeler « français » la langue parlée en France ?

2. Donnez le nom de cinq mots français qui sont d'origine étrangère et précisez leur origine.

3. Les mots nouveaux qui paraissent à tout moment dans la langue française sont créés de plusieurs façons. Retrouvez dans le texte deux explications de ce processus.

4. Pour quelles raisons est-ce qu'il est difficile de compter les mots français ?

5. Résumez l'argument qui explique qu'on parlera de plus en plus le français et que le nombre de personnes parlant le français augmentera.

Activités orales

1. *Recherche commune*

   a. Connaissez-vous des mots d'origine française qui sont utilisés dans la langue de votre pays ? Faites-en une liste.

   b. Retrouvez des mots qui ont été récemment créés dans la langue de votre pays et dites comment ils sont « nés ».

2. *Débat.* Pour quelles raisons est-il utile d'apprendre une langue internationale comme le français ?

Activités écrites

1. *Lettre.* Vous écrivez à un(e) ami(e) français(e) pour lui dire si vous êtes d'accord que la langue française n'est pas en danger d'extinction et si vous pensez qu'elle est en fait une langue d'avenir.

2. *Rédaction.* Faut-il réformer (c'est-à-dire simplifier) l'orthographe des mots ? Justifiez votre réponse.

C'est écrit dans le Larousse !

6 000 nouveaux venus dans le « PL ». Un journal du français vivant que l'on prend souvent pour une bible.

Claude Kannas et Daniel Péchouin : responsables du « Petit Larousse ».

[1] « SI, AU COURS d'un dîner, j'ai le malheur d'annoncer que je suis rédacteur en chef du "Petit Larousse", raconte Daniel Péchouin, le silence s'installe aussitôt : personne n'ose plus parler, de peur de faire une faute ! »

[2] Rançon de sa popularité (plus d'un million d'exemplaires vendus par an), chaque nouvelle cuvée du « Petit Larousse » provoque des giboulées de lettres d'insultes. « Vous confondez semer à tout vent et épandre le fumier ! » écrit un lecteur, courroucé d'y avoir découvert « beauf » (apocope de beau-frère) et « franchouillard ». Plus grave : plusieurs ambassades ont exercé de telles pressions à propos de certains mots jugés « racistes » qu'ils ont dû être purement et simplement supprimés ! « Les gens confondent le mot et la chose », diagnostique Péchouin. Dès qu'un nom figure dans le dictionnaire, même précédé de la mention « injurieux », cela équivaut, pour certains lecteurs, à une approbation de la réalité qu'il désigne.

[3] « Nous ne sommes que les greffiers de l'usage », répond-il aux puristes qui attendent du « Petit Larousse » qu'il redresse tous les torts faits à la langue. Ainsi une majorité de Français pensent-ils, aujourd'hui, qu'« alvéole » est féminin. « En indiquant "nom féminin", nous ne faisons que constater que, dans l'usage, ce mot a changé de genre. Mais nous ajoutons "masculin selon l'Académie", par respect pour la norme. » Au lecteur de choisir son style : « hypernormé » ou populaire.

[4] Impératif, donc : suivre au jour le jour l'évolution de la langue. Des équipes dépouillent quotidiennement la presse générale et spécialisée, écoutent la radio et la télévision, en France, mais aussi en Belgique, en Suisse, au Québec et en Afrique, afin d'établir des fichiers de mots nouveaux. « Dès que l'un d'eux nous semble bien implanté, indique Claude Kannas, responsable de la langue chez ce même éditeur, nous décidons de l'introduire. »

[5] La dernière version du « Petit Larousse », entièrement refondue, comporte ainsi près de 6 000 nouveaux venus, soit environ 10 % de sa nomenclature. « En matière de langue, il n'y a pas de parole révélée ! prêche Péchouin. Le « Petit Larousse » n'est pas la Bible ! Il serait plutôt une espèce de journal qui raconterait, année après année, depuis maintenant quatre-vingts ans, l'aventure des mots. »

O.P. ∎

EXPLICATIONS

Les connotations culturelles

le « PL » : le Petit Larousse. Une nouvelle édition de ce dictionnaire qui contient aussi une petite encyclopédie paraît chaque année.

[2] **« semer à tout vent » :** la devise traditionnelle des dictionnaires Larousse

[3] **l'Académie :** l'Académie française. Cette institution est chargée de rédiger un dictionnaire « officiel » de la langue française.

Les mots

nouveaux venus (m pl) : *ici*, nouveaux termes

[1] **rédacteur** (m) **en chef :** directeur, responsable de la rédaction

[2] **rançon** (f) : conséquence
cuvée (f) : *ici*, édition
des giboulées de : *ici*, beaucoup de
confondre : mélanger
épandre le fumier (fam) : *ici*, écrire des choses vulgaires
courroucé : très en colère
apocope (f) : chute d'une syllabe à la fin du mot
franchouillard (m) (fam) : adjectif péjoratif qui décrit l'attitude d'un Français moyen très nationaliste
mention (f) : note
injurieux : insultant

[3] **greffier** (m) **de l'usage :** *ici*, personne qui note comment les gens parlent
redresser : corriger
alvéole : cellule de cire que fait l'abeille
norme (f) : règle
hypernormé : extrêmement correct

[4] **impératif :** très important
dépouiller : *ici*, lire avec attention
fichier (m) : *ici*, classifications

[5] **refondu :** *ici*, refait, remis à jour
comporter : contenir
révélé : *ici*, communiqué par la révélation divine

INTERACTION AVEC LE TEXTE

Les idées essentielles

A. **Vrai ou faux ?**
Justifiez votre réponse en citant une expression du texte.

	V	F
1. Le « Petit Larousse » est le nom d'un journal français.	☐	☐

Expression : _____

	V	F
2. Le « Petit Larousse » n'est pas très connu.	☐	☐

Expression : _____

	V	F
3. Le rédacteur en chef du « Petit Larousse » reçoit des lettres d'insultes.	☐	☐

Expression : _____

4. Tous les lecteurs du « Petit Larousse » font la distinction entre le mot et la réalité que le mot désigne. ☐ ☐

   Expression : _____

5. Le « Petit Larousse » s'intéresse seulement au français qu'on parle en France. ☐ ☐

   Expression : _____

6. Il y a 6 000 mots dans la dernière édition du « Petit Larousse ». ☐ ☐

   Expression : _____

7. Le « Petit Larousse » existe depuis plus de 80 ans. ☐ ☐

   Expression : _____

8. Les mots et leur définitions dans le « Petit Larousse » changent rarement. ☐ ☐

   Expression : _____

B. Complétez les affirmations suivantes :

1. Le mot « beauf » veut dire _____.

2. Après la parution de chaque nouvelle édition du « Petit Larousse »,

   certains lecteurs écrivent des _____.

3. La plupart des Français pensent que le mot « alvéole » est

   _____. Selon l'Académie française, ce mot est _____.

4. Des équipes du « Petit Larousse » travaillent tous les _____

   pour découvrir l'existence de mots _____.

5. Daniel Péchouin refuse de considérer le « Petit Larousse » comme

   une _____.

Analyse des idées

1. Pourquoi est-ce que les gens se taisent souvent quand ils apprennent le métier de Daniel Péchouin ?

2. Pourquoi plusieurs ambassades ont-elles insisté pour que certains mots soient éliminés du « Petit Larousse » ?

3. Qu'est-ce que les équipes de Larousse font pour observer la langue française ?

4. Quel type de lecteur écrit des lettres d'insulte au « Petit Larousse » ?

5. Pourquoi est-ce que le « Petit Larousse » ne doit pas être considéré comme la Bible mais comme un journal qui raconte « l'aventure des mots » ?

Activités orales

1. *Discussion.* Est-ce que, chaque année, il y a beaucoup de mots nouveaux dans la langue de votre pays ? Pourquoi ? Est-ce qu'ils se trouvent au dictionnaire ? Donnez quelques exemples.

2. *Echange d'idées.* Quels dictionnaires utilisez-vous dans vos études de français ? Préférez-vous utiliser un dictionnaire bilingue ou un dictionnaire monolingue ? Dans quelles circonstances et pourquoi ?

Activités écrites

1. *Lettre.* Vous écrivez à un(e) ami(e) français(e) pour lui parler des mots d'origine française dans la langue de votre pays.

2. *Rédaction.* Jusqu'à quel point est-ce que les auteurs d'un dictionnaire doivent inclure les mots d'argot et les expressions « injurieuses » ?

Exclus de A à Z

Dans un bureau de poste, près de Cannes, l'une des opérations Clé (compter, lire, écrire) organisées par la fédération Léo-Lagrange.

Des illettrés par millions. C'est en France, en 1989.

¹ ILS ONT PASSÉ dix ans à l'école, et pourtant ils ne savent pas écrire leur nom. Ils choisissent le supermarché où une machine remplira automatiquement leur chèque. Ils mangent le même plat que leur voisin, au restaurant, car ils n'ont pas lu le menu. Bref, ils sont illettrés. Plusieurs millions de Français, bien de chez nous. A la différence des an-alphabètes, qui n'ont jamais appris, ils ont oublié, eux, comment lire et écrire. Ils se cachent, bien sûr.

² Paulette, 64 ans, écrit ses recettes de cuisine sous forme de dessins. Nancy et Natha-lie, la trentaine, ne savent pas lire les étiquettes dans les ma-gasins. Emmanuel, 21 ans, coursier, demande parfois son chemin dans les rues de Pa-ris... Quand ils ont des souve-nirs d'école, ils évoquent les journées passées au fond de la classe, les profs méprisants, suggèrent des enfances trou-blées par la maladie, des drames familiaux...

³ « On peut vivre normale-ment dans la vie de tous les jours, dit Dominique, 26 ans, employé au service courrier d'une banque. Il suffit de

tromper son entourage pour passer inaperçu. Prétendre qu'on a oublié ses lunettes, c'est un classique ! » Dominique, lui, ne se cache pas. A L'Express, il raconte : « Mes collègues n'en sont pas revenus quand je leur ai appris que je ne savais pas lire. Moi qui aimais bien regarder "Apostrophes"... » En sortir ? « Très dur. A la limite, ça peut être agréable de vivre comme ça, dans une sorte de cocon. Il faut être hypermotivé. » Aujourd'hui, son employeur lui paie un stage de formation.

4 Combien sont-ils ? En gros, un adulte sur cinq. Difficile d'être plus précis, car le mot lui-même pose problème : un illettré est-il totalement incapable d'écrire, par exemple, ou éprouve-t-il simplement de sérieuses difficultés ? « Il n'y a pas de définition reconnue par tout le monde, insiste Jean-Pierre Vélis, auteur de "La France illettrée" (Seuil). Disons, pour résumer, que ces gens éprouvent de gros problèmes dans leur vie quotidienne. » Les plus gênés connaissent des villes sans panneaux indicateurs, s'informent uniquement par la télé et la radio, ignorent les pages d'offres d'emploi, se font remplir les formulaires de la Sécurité sociale.

5 Près de la moitié ont plus de 65 ans. Mais l'illettrisme fait aussi des ravages chez les jeunes. On estime que de 20 à 25 % d'élèves de sixième ne peuvent pas « à la fois déchiffrer un texte à une vitesse normale et comprendre ce qu'ils sont en train de lire ».

6 L'illettrisme est une découverte récente des pouvoirs publics. Pendant longtemps, le sujet a été nié en bloc. Quand, en 1979, le Parlement européen demanda à chaque pays membre combien il comptait d'illettrés, la France répondit : « Aucun. » Depuis la publication d'un rapport sur la question, il y a quatre ans, l'Etat reconnaît enfin l'existence du problème. Un Groupe permanent de lutte contre l'illettrisme (GPLI) a été mis en place par le gouvernement.

7 A défaut d'une politique bien précise, on fait appel à des formateurs, plus ou moins bénévoles, plus ou moins préparés. Ils enseignent au sein d' « ateliers pédagogiques personnalisés » ou d'associations de soutien aux étrangers analphabètes, par exemple. « S'ils viennent chez nous, explique une responsable de stage, plutôt que de regarder le film à la télé, c'est qu'ils y ont intérêt. » Pour améliorer leur situation, trouver un emploi, garder le leur... Problème : « Sur 6 millions d'illettrés, 20 000, pas plus, réapprennent à lire et à écrire », estime Georges Texier, chargé du dossier à la fédération Léo-Lagrange.

8 Et le privé ? Aux Etats-Unis, de nombreux industriels se consacrent à la lutte contre l'illettrisme. Les éditeurs de livres et de journaux sont particulièrement généreux. On les comprend. Comme l'a résumé un imprimeur, lors d'un récent colloque organisé à Washington : « A quoi bon une presse libre si un Américain sur deux est incapable de la lire ? »

9 En France, à Angoulême, un point Clé (compter, lire, écrire) de la fédération Léo-Lagrange pourrait prochainement être financé par un hypermarché de la région. Son directeur s'émeut, paraît-il, du nombre d'illettrés parmi ses clients. Et au sein de son personnel.

10 L'illettrisme est commun à tous les pays industrialisés, dans des proportions comparables. « Plus une société progresse techniquement, explique Jean-Pierre Vélis, plus elle exige des compétences. Sans quoi, on en est progressivement exclu. Or plus de la moitié de la population active, en France, a un niveau de qualification inférieur au CAP. » Il a fallu que des claviers d'ordinateur pénètrent à l'intérieur des usines pour y révéler la présence d'illettrés.

MARC EPSTEIN ∎

EXPLICATIONS

Les connotations culturelles

[3] « **Apostrophes** » : émission de télévision présentée par Bernard Pivot et dans laquelle on parlait de livres récemment publiés.

[4] **le Parlement européen** : le parlement où siègent les députés de pays membres de la Communauté économique européenne

[9] **Angoulême** : ville du sud-ouest de la France
la fédération Léo-Lagrange : nom d'une organisation charitable

[10] **CAP** : un Certificat d'aptitude professionnelle

Les mots

[2] **étiquette** (f) : morceau de papier mis sur un produit à vendre et qui indique son prix
coursier (m) : employé chargé de faire des courses dans une administration
méprisant : *ici,* qui n'ont pas de respect envers quelqu'un

[3] **n'en sont pas revenus** (fam) : ne voulaient pas le croire
cocon (m) : *ici,* monde fermé
hypermotivé : extrêmement motivé
stage (m) **de formation** : cours spéciaux organisés pour apprendre un métier

[4] **gêné** : *ici,* handicapé parce qu'on ne sait pas lire

[5] **faire des ravages** (fam) : avoir des conséquences catastrophiques

à la fois : en même temps
déchiffrer : lire

[6] **en bloc** : *ici,* complètement

[7] **à défaut de** : sans
bénévole : volontaire
au sein de : dans
garder le leur : ne pas perdre leur emploi

[8] **le privé** : le secteur privé (qui n'est pas contrôlé par l'Etat)
à quoi bon : quel est l'avantage de

[9] **s'émeut** (s'émouvoir) : devient triste, inquiet

[10] **population** (f) **active** : travailleurs
clavier (m) : partie de l'ordinateur où il y a des lettres sur lesquelles on tape avec les doigts

INTERACTION AVEC LE TEXTE

Les idées essentielles Répondez aux questions suivantes.

1. Dans le titre de l'article, à quoi est-ce que les lettres de A à Z font allusion ?

2. Quel est le problème des personnes dont il est question dans ce texte ?

3. Y a-t-il beaucoup d'illettrés en France ?

4. Retrouvez dans le texte trois conséquences négatives pour les personnes qui sont illettrées.

5. Est-ce que tous les illettrés sont des personnes âgées ? Citez des exemples dans le texte.

6. Est-ce qu'on a toujours reconnu le problème de l'illettrisme en France ?

7. Qui fait des efforts pour aider les illettrés ?

8. Pourquoi l'illettrisme est-il un problème sérieux dans une société qui utilise des ordinateurs ?

Analyse des idées

1. Expliquez la différence entre une personne analphabète et une personne illettrée.

2. Est-ce que beaucoup d'illettrés réapprennent à lire et à écrire ? Pourquoi ?

3. Comment a-t-on découvert qu'il existait un véritable problème d'illettrisme en France ?

4. Retrouvez dans le texte des informations qui indiquent qu'être illettré(e), c'est être exclu de la société.

5. Quelles raisons donnent les illettrés pour expliquer qu'ils ne savent pas lire ou écrire ?

6. Expliquez ce que les illettrés font pour :

   a. « écrire » des recettes de cuisine ;

   b. « lire » le nom des rues de Paris ;

   c. se tenir informé de ce qui se passe dans le monde ;

   d. remplir les formulaires de la Sécurité sociale.

Activités orales

1. *Débat*. Est-ce qu'il y a des illettrés dans le pays où vous habitez ? Pourquoi ? Comment est-il possible de les aider ?

2. *Echange d'idées*. Les illettrés sont exclus de la société. Connaissez-vous d'autres groupes qui sont aussi exclus de la société ? Qu'est-ce qu'on peut faire pour les aider ?

Activités écrites

1. *Lettre*. Vous écrivez à une organisation qui lutte contre l'illettrisme pour expliquer pourquoi vous voulez devenir aide bénévole dans cette organisation.

2. *Rédaction*. Imaginez comment votre vie serait différente si vous étiez illettré(e).

ECOLOGIE ET ENVIRONNEMENT

Des citoyens aux idées vertes

*Exclusif : les résultats du sondage « Les Français et la science »
réalisé pour la Cité des sciences et de l'industrie.*

De futurs écologistes découvrent la vie des plantes.

[1] **M**éfiants. Seraient-ils méfiants, nos compatriotes ? A l'égard des sciences et des techniques, du moins. C'est ce qui semblait ressortir d'une enquête publiée en novembre 1989 par le ministère de la Recherche et de la Technologie. 76 % des Français estimaient alors que le progrès technologique augmentait le chômage, 52 % qu'il apportait autant de bien que de mal à l'homme et 73 % qu'il n'était pas nécessaire d'avoir des connaissances scientifiques pour être cultivé. Des attitudes plus que réservées, donc, à l'égard d'un domaine qui, pourtant, modifie en permanence notre mode de vie et transforme notre vision du monde.

[2] Pour fêter son 5e anniversaire, la Cité des sciences et de l'industrie a voulu en savoir plus sur ces rapports ambigus entre la science et les citoyens. Dans un vaste sondage fait en 1991 et dont nous publions les principaux résultats, la Cité a cherché à évaluer les centres d'intérêt des Français, leurs niveaux de connaissances, leurs curiosités, et l'influence des scientifiques. Globalement, inutile de désespérer. Les sciences passionnent plus que la politique ou les arts plastiques. Plus de la moitié des personnes interrogées — 54 % — déclarent s'y intéresser. Et les hommes plus que les femmes — 65 % contre 44 % — les jeunes plus que les personnes âgées, les classes favorisées plus que les autres. Cette indéniable curiosité est confortée par l'intérêt avoué d'une personne sur deux, en moyenne, pour les articles scientifiques.

[3] Mieux : huit sur dix de nos compatriotes regardent volontiers des émissions de télévision sur ces sujets. Les

malheureux n'ont, hélas ! pas grand-chose à se mettre sous les yeux actuellement, puisque les chaînes nationales brillent par leur absence dans ce domaine. D'ailleurs, 56 % des personnes interrogées déclarent qu'il y a « assez peu ou très peu » d'informations et d'explications scientifiques dans nos « étranges lucarnes ». Et les jeunes — 15-24 ans — sont plus critiques que leurs aînés. Ce quasi-désert audiovisuel est-il l'une des causes de l'ignorance avouée des Français ? Ou bien une reconnaissance de l'échec de l'école ? Toujours est-il que 70 % de la population a l'impression de savoir « assez peu de choses » ou « presque rien » en sciences. Nos compatriotes sont-ils ignares ou ont-ils simplement le sentiment de l'être ? Mystère. Là encore, les hommes prétendent avoir un meilleur niveau de connaissances que les femmes. Phénomène réel ou tendance du sexe féminin à sous-estimer son savoir dans des matières supposées masculines ? Une autre enquête tranchera peut-être.

⁴ N'empêche que bon nombre de ces « ignorants » s'in-

UTILISEZ L'EMBALLAGE VERRE

IL SE RECYCLE

téressent à bien des choses. Ainsi, une personne sur cinq déclare avoir un hobby scientifique ou technique. Certains sont des fanas de photographie, d'autres des branchés de l'ordinateur, des allumés de la mécanique, des fervents de l'environnement. C'est d'ailleurs ce secteur qui retient le plus l'attention. Parmi les 29 disciplines — 8 seulement ont été retenues dans le tableau des résultats — sur lesquelles les personnes interrogées aimeraient en savoir plus, l'écologie vient largement en tête (69 %), suivie par la médecine (67 %) et la physiologie (64 %). La planète Terre et son principal habitant, l'homme, constituent donc les deux centres d'intérêt majeurs. Curieusement, la connaissance de l'Univers (planètes, étoiles,

évolution du cosmos) ne captive que 40 % de nos concitoyens et la conquête de l'espace, que 36 %. Un domaine qui a sans doute perdu de son attrait depuis que les excursions des astronautes dans la banlieue de la Terre sont devenues monnaie courante. A noter que les jeunes — 73 % — gardent une attirance particulière pour les techniques de communication (vidéo, son, photo). Rien d'étonnant pour cette génération qui a grandi avec la télévision, l'ordinateur et le Walkman.

⁵ Ces gens qui avouent leur ignorance — réelle ou subjective — ont tendance à faire confiance à ceux qui « savent » et regrettent majoritairement que les chercheurs n'aient pas plus de pouvoir en France. Ils sont ainsi 71 % à penser que l'on ne tient pas assez compte de l'avis des scientifiques, 51 % de celui des écologistes, et 28 % de l'opinion des organisations syndicales. Les jeunes et les personnes peu éduquées sont les moins favorables à cette consultation des savants. Les hommes de science doivent donc faire entendre leur voix.

FRANÇOISE
HARROIS-MONIN ■

SONDAGE : LES FRANÇAIS ET LA SCIENCE

I.
D'après vos goûts personnels, chacun des domaines d'activité suivants vous intéresse-t-il beaucoup, assez, pas tellement ou pas du tout ?

54% s'intéressent beaucoup ou assez aux sciences

	Beaucoup	Assez	Pas tellement	Pas du tout
Musique	37 %	41 %	12 %	10 %
Sports	26	34	24	16
Littérature	23	32	25	20
Sciences et techniques	**17**	**37**	27	19
Arts plastiques	12	27	29	32
Politique	10	24	26	40

71% estiment que l'on ne tient pas assez compte des savants

II.
Estimez-vous qu'en France on tient compte suffisamment, trop ou pas assez des points de vue des catégories de personnes suivantes ?

	Suffisamment	Trop	Pas assez	Sans opinion
Organisations syndicales	38 %	22 %	28 %	12 %
Patrons	46	21	24	9
Artistes et écrivains	38	11	38	13
Ecologistes	31	13	51	5
Militaires	45	18	25	12
Chercheurs et savants	22	2	**71**	5
Journalistes	39	50	8	3
Ingénieurs et techniciens	41	4	45	10
Philosophes	33	8	36	23
Religieux	42	17	28	13
Financiers	41	32	14	13
Enseignants	36	8	49	7

III.
Dans quel domaine scientifique ou technique cela vous intéresse-t-il le plus de développer vos connaissances ?

	Beaucoup	Assez	Total
Ecologie, étude et protection des milieux naturels	25 %	44 %	**69 %**
Médecine préventive, médecine du sport, diététique, nutrition, etc.	29	38	67
Physiologie humaine (corps humain, fonctions des organes, etc.)	22	42	64
Zoologie (animaux, oiseaux, insectes, etc.)	23	40	63
Botanique (plantes, arbres, champignons, etc.)	21	35	56
Océans (fonds et milieu marins, etc.)	20	36	56
Histoire des sciences et des techniques (grandes découvertes et inventions, savants illustres, etc.)	17	38	55
Techniques de communication (photo, vidéo, son, etc.)	21	34	55

69 % s'intéressent d'abord à l'écologie et à la protection des milieux naturels

IV.
Lisez-vous des articles scientifiques ou techniques, dans un quotidien, dans une revue scientifique, ou suivez-vous des émissions scientifiques, à la radio, à la télévision, régulièrement, de temps en temps, jamais ?

	Réguli-èrement	De temps en temps	Jamais
Quotidien	9 %	45 %	46 %
Revue scientifique ou technique	11	43	46
Emissions scientifiques à la radio	7	35	58
Emissions scientifiques à la télévision	**16**	**65**	19

81 % regardent régulièrement ou de temps en temps des émissions scientifiques à la télévision

175

EXPLICATIONS

Les connotations culturelles

aux idées vertes : aux idées écologiques. On appelle les écologistes « les Verts ».

² **La Cité des Sciences et de l'Industrie :** nom du musée inauguré en 1986 à La Villette (au nord de Paris)

Les mots

¹ **méfiant :** qui manque de confiance
nos compatriotes : les Français
à l'égard de : envers les
ressortir de : montrer
alors : à cette époque
être cultivé : avoir de la culture

² **globalement, inutile de :** dans l'ensemble, il est inutile de
classes favorisées : classes sociales assez riches
conforté : *ici,* confirmé
avoué : déclaré

³ **chaînes nationales... domaine :** chaînes nationales de télévision programmant peu d'émissions scientifiques
les « étranges lucarnes » : la télévision ; expression créée par le journal satirique le « Canard enchaîné »

quasi : presque
toujours est-il que : en tout cas, le fait est que
ignare : ignorant
prétendre : affirmer
trancher : décider

⁴ **n'empêche que :** tout de même, cependant
fanas, branchés, allumés : *ici,* passionnés, fervents
venir en tête : être en première position
monnaie courante : *ici,* habituelles

⁵ **chercheur** (m) : personne qui fait des recherches, scientifique, savant
tenir compte de : prendre en considération

INTERACTION AVEC LE TEXTE

Les idées essentielles

1. Quelle est la conclusion principale qu'on peut tirer de chaque question du sondage ?

2. Voici des affirmations qui se trouvent dans le texte. Dites qui pense ou déclare ces choses.

   A. Ces personnes pensent qu'à cause du progrès technologique, il y a plus de chômage.

   B. Ces personnes pensent avoir de meilleures connaissances scientifiques que les personnes de l'autre sexe.

C. Ces personnes s'intéressent beaucoup aux techniques de communication.

D. Ces personnes pensent qu'on devrait écouter plus les scientifiques.

E. Ces personnes ne sont pas favorables à l'idée de consulter les savants.

3. **Vrai ou faux ?**
   Justifiez votre réponse en citant une expression du texte.

	V	F
1. Les femmes s'intéressent aux sciences plus que les hommes.	☐	☐

Expression : _____

2. Les personnes âgées s'intéressent aux sciences plus que les jeunes.	☐	☐

Expression : _____

3. Peu de personnes regardent les émissions scientifiques à la télévision.	☐	☐

Expression : _____

4. Il n'y a pas beaucoup d'émissions scientifiques à la télévision.	☐	☐

Expression : _____

5. En 1989, la majorité des Français croyaient que les personnes cultivées devaient avoir des connaissances scientifiques.	☐	☐

Expression : _____

6. Les sciences et les technologies changent constamment notre façon de voir le monde.	☐	☐

Expression : _____

7. D'après le texte, les rapports entre la science et les citoyens sont clairs.	☐	☐

Expression : _____

8. Les résultats du sondage de 1991 sont très pessimistes.	☐	☐

Expression : _____

Analyse des idées

1. Retrouvez dans les pourcentages du sondage les chiffres qui permettent à l'auteur d'affirmer :

   a. que « les sciences passionnent plus que la politique ou les arts plastiques » ;

   b. qu'environ la moitié des personnes interrogées lisent des articles scientifiques ;

   c. que certains domaines d'activité intéressent les Français plus que les sciences et les techniques ;

   d. que la moitié des personnes interrogées pensent que l'on ne prend pas assez en considération l'opinion des écologistes.

2. Deux raisons sont proposées pour expliquer le fait que la majorité des Français pensent savoir peu de choses en sciences. Lesquelles ?

3. Quelle différence peut-on remarquer dans les réponses des hommes et des femmes en ce qui concerne leur niveau de connaissances scientifiques ? Pourquoi ?

4. Citez quatre passe-temps scientifiques ou technologiques.

5. Quels sont les deux principaux centres d'intérêt des Français ?

6. Comment pourrait-on expliquer que la conquête de l'espace n'intéresse que 36 % des Français ?

7. Pourquoi est-ce que la génération des jeunes est très attirée par les techniques de communication ?

8. A votre avis, est-ce que « les hommes de sciences doivent faire entendre leur voix » ?

Activités orales

1. *Dialogue.* Françoise adore regarder les émissions scientifiques à la télévision. Sa sœur Lucie déteste ça... Ce soir il y a une émission spéciale (de 2 heures !) sur la protection des milieux naturels... Sur l'autre chaîne, on joue un film avec l'acteur préféré de Lucie... Que regarder ? Il faut choisir...

2. *Débat.* A votre avis, quelle est la plus grande invention scientifique de l'histoire ? Dites pourquoi.

3. *Discussion.* Y-a-t-il beaucoup d'émissions scientifiques à la télévision dans votre pays ? Les regardez-vous ? Est-ce qu'il y en a une qui vous intéresse en particulier ? Pourquoi ?

Activités écrites

1. *Rédaction.* Dans quel domaine scientifique ou technique voudriez-vous développer le plus vos connaissances ? (Vous pouvez choisir parmi les catégories suggérées dans la troisième question du sondage.)

2. *Rapport.* Posez les questions du sondage à 10 personnes que vous connaissez. Notez leurs réponses puis rédigez un rapport sur vos découvertes.

3. *Rédaction.* A votre avis, notre monde a-t-il plus besoin de poètes ou de scientifiques ? Pourquoi ?

Mers : Les côtes d'alerte

*La catastrophe de l'« Exxon Valdez », en Alaska :
la marée noire détruit les côtes et la mer.*

Au large, la pollution laisse peu de traces. Mais, sur les littoraux, déchets et destructions menacent un milieu dont la complexité reste à découvrir. De toute urgence.

[1] L'« Exxon Valdez ». Ce pétrolier ultra-moderne restera aussi tristement célèbre que le « Torrey Canyon », en 1967, ou l' « Amoco Cadiz », en 1978. Parce qu'en Alaska, dans le détroit de Prince William, un liquide visqueux et puant s'est écoulé, des jours durant, de ses flancs, engluant les oiseaux, les phoques et les baleines, décimant les saumons et les harengs qui font la richesse des pêcheurs des environs. Une catastrophe de plus. Une raison supplémentaire d'observer le milieu marin, qu'on a trop longtemps cru inaltérable.

[2] Il aura fallu les morts de Minamata, à la fin des années 50, intoxiqués par le mercure contenu dans les poissons qu'ils consommaient, pour que l'on découvre les phénomènes de concentration des toxiques le long de la chaîne alimentaire. Puis les grands accidents pétroliers, dans les années 70, qui offrirent à un public effaré le spectacle de kilomètres de côtes dévastées, pour discerner l'importance des dégâts et mesurer les limites de récupération des océans.

[3] Longtemps considérée comme un vivier inépuisable, dotée d'un pouvoir de purification infini, la mer a toujours nourri les hommes, et fait disparaître leurs déchets. Aujourd'hui, les scientifiques sont formels : malgré l'immensité de sa surface — les deux tiers du globe — la mer a ses limites. Et la vigilance reste de rigueur. Le grand large est peu touché, malgré l'obstination des pays développés à y déposer des déchets radioactifs ou chimiques et à y brûler leurs résidus les plus toxiques. En haute mer, brassage et dilution dispersent les polluants. Mais les côtes du monde entier sont très menacées.

[4] Littoraux, estuaires ou abers, golfes ou fjords, anses et criques portent les marques de l'insouciance humaine. Et, là encore, la mer ne se meurt pas : elle résiste même, vaillamment. Cependant, cernée de toutes parts par la pression démographique, ses flancs portent des plaies que l'homme ne lui laisse plus le temps de cicatriser. Les deux tiers de la population mondiale vivent à moins de 80 kilomètres des côtes. Et la moitié des grandes villes ont été bâties sur ou à proximité d'un estuaire. Or « les estuaires constituent justement un passage obligé de la majorité des espèces de poissons », explique François Ramade, écologiste, professeur à l'université d'Orsay. Pourtant, les cités y rejettent leurs eaux d'égoût — dont 80 % n'ont pas été traités. Les industries y déversent leurs résidus les plus polluants. Les fleuves y charrient leur stock de matières toxiques et d'engrais. Au total, 20 milliards de tonnes de déchets finissent chaque année dans la mer. Et 90 % stagnent près du littoral.

[5] L'homme n'a pas hésité à bétonner systématiquement les bords de mer pour gagner quelques mètres de terrain. Chaque fois, il détruit la faune et la flore de ces zones sensibles. « Pollution et destruction pourraient bien être rapidement fatales à ces écosystèmes si l'on n'agit pas vite », insiste Yves Paccalet, écrivain et biologiste travaillant pour la fondation Cousteau. Comment agir vite ? En prenant quelques mesures de bon sens : création de réserves, épuration des rejets. Mais il y a aussi une entreprise plus urgente. Les scientifiques connaissent insuffisamment les mers et doivent mieux comprendre leur complexité. « Il faut cerner le rôle des courants, des échanges de l'eau et de l'atmosphère, de l'eau et des sédiments, commente Michel Dupré, chercheur au CNRS. Il n'existe toujours pas d'indice fiable et universel de la santé du milieu marin. » La Communauté européenne a lancé le programme Eros 2000, auquel participent 35 laboratoires. Son but : mieux connaître les mers et lutter contre la pollution des côtes. Ses résultats sont attendus avec impatience.

[6] En effet, il reste beaucoup à faire. En dessous de quelle concentration un polluant peut-il être rejeté dans l'eau sans risque ? « Le génie chimique a déjà mis au point plus de 70 000 composés. Et invente chaque année plus de 1 000 molécules nouvelles », explique Lucien Laubier, président du Comité milieu marin. Difficile d'étudier les effets de chacune d'entre elles. Principaux accusés des années 80 : le PCB, un isolant répandu dans le monde entier, et le DDT, un insecticide interdit dans les pays développés mais utilisé par le tiers-monde. Ces deux organochlorés ont la redoutable faculté de voyager dans l'atmosphère. Ils se retrouvent, au gré des vents et des pluies, dans tous les océans du globe. Ces deux toxiques passent, en vingt ans, du plancton aux poissons, avant de s'accumuler dans les tissus des mammifères marins, derniers maillons de la chaîne alimentaire. Le PCB est coupable de diminuer les taux de fertilité des cétacés, le pire acte de vandalisme infligé à une espèce.

[7] Et demain ? Pour François Ramade, le péril pourrait bien venir des dioxines. Une vaste famille de composés chimiques, que les industriels rejettent malgré toutes les réglementations et dont certaines sont 600 fois plus toxiques pour le chien que la strychnine. « Homme libre, toujours tu chériras la mer », disait Baudelaire. L'homme du XXIe siècle devra apprendre à mieux la connaître pour l'aimer sans l'empoisonner.

CORINNE DENIS ■

EXPLICATIONS

Les connotations culturelles

[2] **Minamata :** la baie de Minamata, au Japon, où une usine déposait ses déchets

[5] **le CNRS :** Centre nationale de la recherche scientifique, institut qui coordonne la recherche avancée en France

[7] **Charles Baudelaire** (1821–1867) : poète français

Les mots

au large (m) : loin de la côte, en pleine mer
littoral (m) : côte, endroit où la mer rencontre la terre

déchets (m pl) : objets rejetés comme inutilisables par les hommes
milieu (m) : *ici*, environnement

¹ **pétrolier** (m) : bateau qui transporte le pétrole
visqueux : épais
puant : qui ne sent pas bon
inaltérable : *ici*, qui ne peut pas être pollué ou détruit

² **effaré** : qui a très peur
dégâts (m pl) : dommages qui résultent d'un accident

³ **vivier** (m) : endroit où on élève les poissons
formel : clair, explicite
reste de rigueur : *ici*, est absolument nécessaire
brassage (m) : acte de mélanger

⁴ **anse** (f) : petite baie
crique (f) : petite baie
insouciance (f) : indifférence
vaillamment : avec courage
cerner : *ici*, attaquer
plaie (f) : blessure
cicatriser : guérir
eaux (f pl) **d'égout :** eaux sales d'origine industrielle ou ménagère

traiter : *ici*, purifier
charrier : transporter
engrais (m) : produits chimiques utilisés pour fertiliser la terre

⁵ **bétonner :** mettre en ciment
mesure (f) : décision
rejets (m pl) : déchets
cerner : *ici*, étudier
fiable : sûr

⁶ **isolant** (m) : matériau synthétique
répandu : que l'on trouve partout
redoutable : dangereux
faculté (f) : caractéristique
au gré des vents : transporté par les vents
maillon (m) : partie d'une chaîne
cétacé (m) : espèce de mammifères aquatiques comme la baleine

⁷ **chérir :** aimer, adorer

INTERACTION AVEC LE TEXTE

Avant de lire

Compréhension du titre et du sous-titre

1. De quel milieu naturel va-t-il être question dans ce texte ?

2. Le mot « mais » est utilisé pour exprimer un contraste ; dans le sous-titre, il introduit une opposition entre « Au large » et « sur les littoraux ». Quelle est cette opposition ?

3. Exprimez la dernière phrase (« De toute urgence ») de façon plus explicite.

4. L'expression « la cote d'alerte » veut dire « le point critique ». (Notez que dans ce sens, le mot « cote » n'a pas d'accent circonflexe, mais que le mot « la côte » (le littoral) a un accent circonflexe.) Expliquez le jeu de mots dans le titre.

Les idées essentielles

A. **Vrai ou faux ?**
Justifiez votre réponse avec une expression du texte.

	V	F
1. L'« Exxon Valdez » est le nom d'une région en Alaska.	☐	☐

Expression : _____

2. Les premiers grands accidents pétroliers se sont produits dans les années 50. ☐ ☐

   Expression : _____

3. Les scientifiques disent que la mer ne peut pas être en danger. ☐ ☐

   Expression : _____

4. La pollution est plus visible en haute mer que sur les côtes. ☐ ☐

   Expression : _____

5. Beaucoup de gens habitent près des côtes. ☐ ☐

   Expression : _____

6. La construction au bord de la mer met souvent en danger le milieu naturel. ☐ ☐

   Expression : _____

7. Aujourd'hui, les scientifiques connaissent bien la mer. ☐ ☐

   Expression : _____

8. Le PCB et le DDT sont des produits qui polluent les mers. ☐ ☐

   Expression : _____

B. **Qui dit quoi ? Le point de vue des spécialistes**
   Compléter le tableau ci-dessous en reliant l'auteur d'une citation dans le texte et la paraphrase de celle-ci :

   François Ramade •
   Yves Paccalet •
   Lucien Laubier •
   Michel Dupré •
   Baudelaire •

   • Les hommes qui aiment la liberté aimeront toujours la mer.
   • Les dioxines constituent un immense danger potentiel.
   • Il faut rapidement lutter contre la pollution des côtes.
   • La plupart des poissons nageront inévitablement dans les estuaires des rivières.
   • Il est nécessaire de bien comprendre tous les mouvements des eaux des mers.
   • Les hommes fabriquent de plus en plus de produits chimiques.

Analyse des idées

1. Qu'est-ce que l'« Exxon Valdez », le « Torrey Canyon » et l'« Amoco Cadiz » ont en commun ?

2. Que s'est-il passé à Minamata à la fin des années 50 ? Quelle a été l'importance de cet événement ?

3. Pourquoi les grands accidents pétroliers des années 70 ont-ils eu une importance particulière ?

4. Pourquoi les hommes ont-ils cru longtemps que la mer était « un vivier inépuisable » ? Est-ce que les scientifiques sont d'accord avec cette attitude ?

5. Retrouvez dans le texte cinq informations qui indiquent que les hommes ne font pas assez attention et polluent la mer.

6. Quels sont les efforts faits pour essayer de lutter contre la pollution des mers ?

7. Quels sont les nouveaux périls qui menacent la mer ?

8. Quelles idées est-ce que la journaliste exprime dans le dernier paragraphe ?

Activités orales

1. *Echange d'idées.* Est-ce que les plages de votre pays sont propres ? Pouvez-vous vous baigner partout ? Comment peut-on lutter contre la pollution des côtes ?

2. *Discussion.* Et demain ? Quels sont pour vous les périls qui menacent le plus les mers ?

3. *Débat.* Comment faut-il protéger les mers ?

Activités écrites

1. *Lettre.* Dans la mythologie romaine, Neptune est le dieu de la mer... Vous lui écrivez une lettre.

2. *Rédaction.* Pourquoi les accidents de pétroliers sont-ils si dangereux pour l'environnement ? Qu'est-ce qu'on peut faire pour les éviter ?

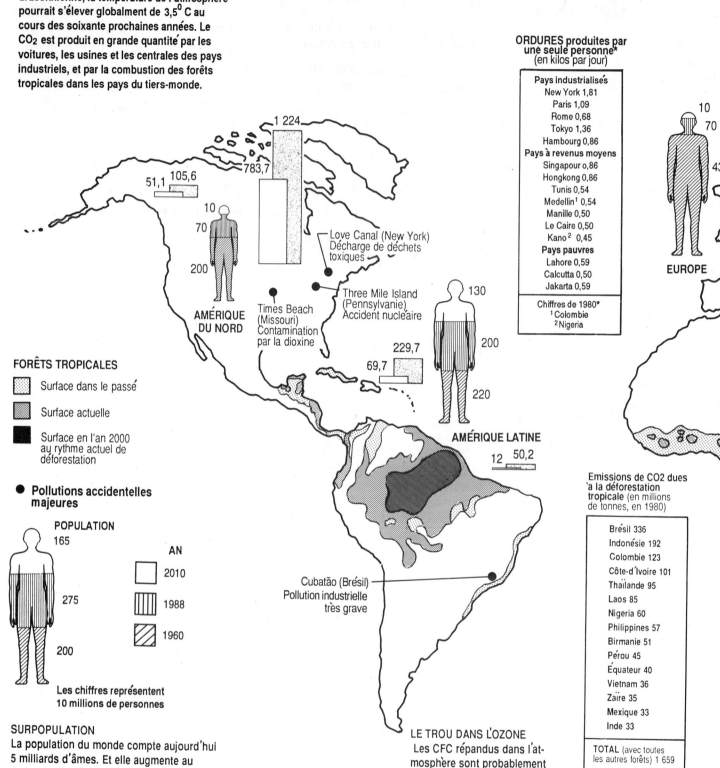

Les risques majeurs

RÉCHAUFFEMENT DE LA PLANÈTE
Si les émissions de dioxyde de carbone (CO_2) et des autres gaz qui contribuent à l'effet de serre ne sont pas réduites de façon draconienne, la température de l'atmosphère pourrait s'élever globalment de $3,5^0$ C au cours des soixante prochaines années. Le CO_2 est produit en grande quantité par les voitures, les usines et les centrales des pays industriels, et par la combustion des forêts tropicales dans les pays du tiers-monde.

ORDURES produites par une seule personne*
(en kilos par jour)

Pays industrialisés	
New York	1,81
Paris	1,09
Rome	0,68
Tokyo	1,36
Hambourg	0,86
Pays à revenus moyens	
Singapour	o,86
Hongkong	0,86
Tunis	0,54
Medellin[1]	0,54
Manille	0,50
Le Caire	0,50
Kano[2]	0,45
Pays pauvres	
Lahore	0,59
Calcutta	0,50
Jakarta	0,59

Chiffres de 1980*
[1] Colombie
[2] Nigeria

1 224
783,7
51,1 105,6

10
70
200

AMÉRIQUE DU NORD

Love Canal (New York)
Décharge de déchets toxiques

Three Mile Island (Pennsylvanie)
Accident nucléaire

Times Beach (Missouri)
Contamination par la dioxine

EUROPE
10
70
430

130
200
220

229,7
69,7

AMÉRIQUE LATINE

12   50,2

FORÊTS TROPICALES

Surface dans le passé

Surface actuelle

Surface en l'an 2000 au rythme actuel de déforestation

● **Pollutions accidentelles majeures**

POPULATION
165

AN
2010
1988
1960

275

200

Les chiffres représentent 10 millions de personnes

Cubatão (Brésil)
Pollution industrielle très grave

Emissions de CO2 dues à la déforestation tropicale (en millions de tonnes, en 1980)

Brésil	336
Indonésie	192
Colombie	123
Côte-d'Ivoire	101
Thaïlande	95
Laos	85
Nigeria	60
Philippines	57
Birmanie	51
Pérou	45
Équateur	40
Vietnam	36
Zaïre	35
Mexique	33
Inde	33

TOTAL (avec toutes les autres forêts) 1 659

SURPOPULATION
La population du monde compte aujourd'hui 5 milliards d'âmes. Et elle augmente au moins de 80 millions par an. 90 % environ de cet accroissement a lieu dans les pays en voie de développement, où les gens luttent pour leur survie. C'est là aussi que les forêts disparaissent, et que la terre, qui doit nourrir sans cesse plus de monde, est surexploitée et appauvrie.

LE TROU DANS L'OZONE
Les CFC répandus dans l'atmosphère sont probablement responsables de l'amincissement de la couche d'ozone, qui protège les êtres vivants des effets néfastes des rayons ultraviolets. Au-dessus de l'Antarctique, l'ozone a diminué de 50 %

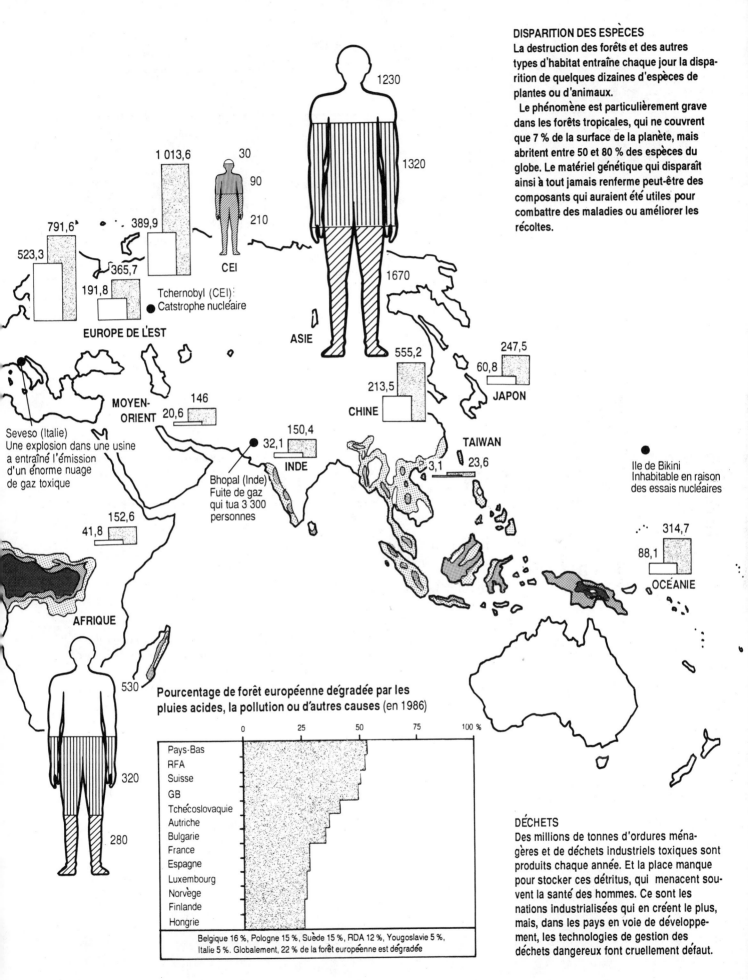

DISPARITION DES ESPÈCES

La destruction des forêts et des autres types d'habitat entraîne chaque jour la disparition de quelques dizaines d'espèces de plantes ou d'animaux.

Le phénomène est particulièrement grave dans les forêts tropicales, qui ne couvrent que 7 % de la surface de la planète, mais abritent entre 50 et 80 % des espèces du globe. Le matériel génétique qui disparaît ainsi à tout jamais renferme peut-être des composants qui auraient été utiles pour combattre des maladies ou améliorer les récoltes.

1230

1013,6

791,6

523,3

365,7

191,8

389,9

30

90

210

CEI

Tchernobyl (CEI):
Catastrophe nucléaire

EUROPE DE L'EST

1320

ASIE

1670

555,2

213,5

CHINE

247,5

60,8

JAPON

MOYEN-ORIENT

146

20,6

Seveso (Italie)
Une explosion dans une usine a entraîné l'émission d'un énorme nuage de gaz toxique

150,4

32,1

INDE

Bhopal (Inde)
Fuite de gaz qui tua 3 300 personnes

TAIWAN

3,1   23,6

Ile de Bikini
Inhabitable en raison des essais nucléaires

152,6

41,8

530

320

280

AFRIQUE

314,7

88,1

OCÉANIE

Pourcentage de forêt européenne dégradée par les pluies acides, la pollution ou d'autres causes (en 1986)

	0	25	50	75	100 %
Pays-Bas					
RFA					
Suisse					
GB					
Tchécoslovaquie					
Autriche					
Bulgarie					
France					
Espagne					
Luxembourg					
Norvège					
Finlande					
Hongrie					

Belgique 16 %, Pologne 15 %, Suède 15 %, RDA 12 %, Yougoslavie 5 %,
Italie 5 %. Globalement, 22 % de la forêt européenne est dégradée

DÉCHETS

Des millions de tonnes d'ordures ménagères et de déchets industriels toxiques sont produits chaque année. Et la place manque pour stocker ces détritus, qui menacent souvent la santé des hommes. Ce sont les nations industrialisées qui en créent le plus, mais, dans les pays en voie de développement, les technologies de gestion des déchets dangereux font cruellement défaut.

EXPLICATIONS

Les mots

[1] **effet** (m) **de serre :** expression utilisée pour décrire le réchauffement de la planète par les émissions de CO_2. Une serre est une construction surchauffée où on cultive rapidement des plantes.

centrale (f) : centrale nucléaire

[2] **5 milliards d'âmes :** 5 milliards de personnes

[3] **les CFC :** catégorie de produits chimiques dangereux

amincissement (m) : fait de devenir plus mince (moins épais)

effet (m) **néfaste :** conséquence désastreuse

[4] **à tout jamais :** pour toujours

[5] **déchets** (m pl) : objets rejetés comme inutilisables par les hommes

ordures (f pl) : choses qu'on met dans une poubelle pour jeter

détritus (m pl) : ordures

gestion (f) : *ici*, surveillance

font cruellement défaut : n'existent pas mais seraient vraiment nécessaires

INTERACTION AVEC LE TEXTE

Lecture de la carte

Cette carte de notre planète résume les dangers écologiques principaux qui existent aujourd'hui. Essayons d'explorer cette carte ensemble.

A. Complétez le tableau suivant.

Noms de continents	Noms de pays (Précisez « le » ou « la »)	Noms de villes où une catastrophe écologique est arrivée	Noms d'espèces animales	Types de catastrophes écologiques mentionnées

B. **Classification des problèmes écologiques**

Regroupez ensemble les tableaux, petits textes, informations sur la carte, dessins, graphiques, etc., qui ont un rapport direct avec les « risques majeurs » suivants :

a. les problèmes de climat

b. les problèmes de surpopulation

c. le trou dans l'ozone

d. la disparition des espèces animales et végétales

e. les problèmes de déchets

C. **Informations visuelles**

Répondez brièvement aux questions suivantes. (La réponse est donnée visuellement sur la carte ou dans un des tableaux.)

1. Où trouve-t-on le plus de forêts tropicales ?

2. Quel continent est le plus peuplé ? Le moins peuplé ?

3. Sur quel continent est-ce qu'il y a le moins d'espèces animales en danger ?

4. Dans quel pays est-ce que les forêts sont les plus affectées par les pluies acides et les autres types de pollution ?

5. Dans quel pays est-ce que l'émission de carbones (due à la combustion d'hydrocarbures, de charbon, etc.) est passée de 12 à 50,2 tonnes en 27 ans ?

6. Dans quel pays est-ce que chaque personne produit la plus grande quantité d'ordures ?

7. Qu'est-ce qui s'est passé à Bhopal en Inde ? à Tchernobyl en Union soviétique ? à Times Beach aux Etats-Unis ?

8. Quelles espèces animales sont menacées en Amérique du Nord ?

Activités orales

1. *Exposés oraux.* Vous allez travailler par groupes de trois ou quatre. Chaque groupe va choisir un sujet d'exposé parmi les thèmes suivants :

   • le réchauffement de la planète

   • la surpopulation

   • le trou dans l'ozone

   • la disparition des espèces

   • les déchets

   Ensemble, vous allez préparer un exposé oral que vous présenterez à la classe. Les autres étudiant(e)s devront écouter et prendre des notes pour en rédiger un résumé.

2. *Interview.* Vous interviewez un(e) écologiste militant(e). Vous lui posez des questions sur un ou plusieurs des « risques majeurs ». Jouez la scène.

3. *Echange d'idées.* Vous discutez des problèmes écologiques dans le monde. Vous devez vous mettre d'accord sur les deux problèmes les plus urgents à résoudre et justifier votre réponse.

Activités écrites

1. *Article de journal.* Vous êtes journaliste. Vous devez écrire un article intitulé : « Notre planète est en danger : les risques majeurs ». Pour vous aider, vous disposez des informations de la carte ci-dessus.

2. *Rédaction.* Comment sera notre environnement naturel dans 50 ans ?

3. *Rédaction.* A votre avis, quelles sont les causes principales des problèmes écologiques de notre planète ?

Rio après le spectacle

A Rio les dirigeants de 180 États se sont réunis pour discuter de l'avenir de notre planète.

¹ **E**n quittant New York et en choisissant Rio pour y tenir le sommet de la Terre, l'ONU prenait un risque. Mais le Brésil a tenu son pari. La ville de la samba a réussi à accueillir la plus grande réunion internationale jamais organisée. Ils étaient 30 000 — diplomates, experts et militants réunis — pour boucler, en deux semaines, un programme de travail gigantesque : deux traités internationaux, des accords multiples pour les vingt ans à venir et des engagements financiers exceptionnels. Aussi, quand les 117 chefs d'Etat et de gouvernement sont repartis, les diplomates brésiliens ont pavoisé : « C'est comme si on avait gagné une autre coupe du monde. »

² Certes, la misère n'a pas disparu des favelas, et on continue à déboiser les forêts. Mais un monde nouveau est en marche. Le sommet était vu comme un défi démesuré : comment, dans un monde en récession, au milieu de guerres et de révoltes urbaines, faire admettre que l'environnement doit passer au premier plan des préoccupations des économistes. Les militants de Greenpeace ont eu beau clamer, du haut du Pain de Sucre, que Rio avait accouché d'une souris, un mouvement irréversible est en

On pouvait craindre le pire, et, pourtant, le Brésil a gagné son pari : le sommet n'aura pas été vain. Des accords ont été signés, des chefs d'Etat se sont engagés. Sans que l'on crie victoire, aujourd'hui, l'avenir semble plus vert.

marche, vers un monde plus vert. Aux yeux de l'entourage du secrétaire général de l'ONU, Boutros Boutros-Ghali, le sommet a autant d'importance que la conférence d'Helsinki, en 1975, sur la sécurité en Europe.

³ On pouvait craindre le pire. Un désaccord profond entre les 1 400 associations, installées sous des tentes vert et blanc, à l'ombre des anacardiers du Flamingo Park, et les diplomates parqués au Rio Centro, en complet veston, malgré la chaleur tropicale, acharnés à trouver les termes qui réuniraient riches et pauvres, industriels et écologistes. Mais tout le monde était venu obtenir des engagements à l'égard des générations futures.

⁴ — Premier texte signé : la convention sur les changements climatiques. Elle doit aboutir à une limitation des gaz à effet de serre. Mais, pour obtenir 154 signatures, on en a retiré l'échéancier. L'Opep s'est battue pour que la consommation de pétrole ne soit pas considérée comme coupable. Les Européens ont promis de ramener, en l'an 2000, leurs émissions au niveau de 1990.

⁵ — Second texte : la convention sur la bio-diversité. Elle assure la protection de 1,5 million d'espèces de plantes et d'animaux. Les Etats-Unis ont refusé de la signer, arguant qu'elle lésait leurs industriels.

⁶ — Aucune convention sur la forêt n'a pu être proposée. Une simple déclaration rappelle la nécessité de la protéger. Car les pays du Sud possesseurs de forêts tropicales voient tout texte international sur la question comme une atteinte à leur souveraineté.

⁷ — L'Agenda 21, catalogue de 600 mesures pour garantir le « développement durable » d'ici à l'an 2000, a été signé par tous. Mais il s'agit de recommandations sans promesse de financement. Et une partie des pays du Sud refuse que l'aide soit liée à des mesures de protection de l'environnement.

⁸ — Le sommet s'est engagé à faire préparer une convention sur les déserts, souhaitée par les Africains.

⁹ — La France a lancé l'idée d'une future convention sur l'eau.

¹⁰ — La création d'une commission pour le développement durable a été acceptée par tous. Ce groupe, dont il reste à définir la composition et les moyens, sera placé auprès de la Commission économique et sociale dépendant directement de l'Assemblée générale des Nations unies.

¹¹ A première vue, il n'y a pas de quoi crier victoire. Pourtant, à écouter les Premiers ministres et les chefs d'Etat, venus les 13 et 14 juin parapher les documents, on voyait bien qu'ils souhaitaient tous se montrer sous leur jour le plus vert.

¹² François Mitterrand, il s'est rarement montré aussi lyrique, évoquant la Terre comme un tout fragile dont tous les êtres sont solidaires. Rappelant au Sud que l'écologie n'est pas un luxe de nantis et au Nord qu'elle n'existe pas sans aide. Il s'est efforcé de montrer l'exemple dans ce qui doit devenir un « effort planétaire de solidarité ». Ainsi la France s'est-elle engagée à consacrer, avant l'an 2000, 0,7 % de son PNB à l'aide au développement (ce qui en portera le montant de 38 à 60 milliards de francs). De même, elle doublera (de 300 à 600 millions de francs annuels) sa contribution au Fonds d'environnement mondial.

¹³ Brice Lalonde, l'ancien ministre français de l'Environnement, venu à Rio en connaisseur, concluait : « Il fallait cet immense forum pour faire avancer les idées utopiques d'il y a vingt ans. Les vieilles structures de l'après-guerre ont fait leur temps. On ne reviendra pas en arrière ».

FRANÇOISE MONIER ■

L'Antarctique : on doit garder une partie de la planète intacte.

EXPLICATIONS

Les connotations culturelles

Rio : Rio-de-Janeiro, ancienne capitale du Brésil

le sommet : le sommet de la Terre qui a réuni à Rio, du 3 au 14 juin 1992, 178 délégations nationales pour discuter de l'environnement et du développement

vert : couleur qui symbolise l'écologie et la protection de l'environnement

[1] **l'ONU :** l'Organisation des Nations Unies dont le siège permanent se trouve à New York

la coupe du monde : la coupe du monde du football ; le Brésil a gagné la coupe en 1970 et a participé aux finales en 1974 et en 1978

[2] **Greenpeace :** association internationale fondée en 1971 pour protéger la mer, les baleines et l'environnement

le Pain de Sucre : colline, haute de 395 mètres, à Rio

[4] **l'Opep :** l'Organisation des pays exportateurs de pétrole

[7] **les pays du Sud :** les pays de l'hémisphère Sud
le développement durable : un développement économique maîtrisé, capable de durer sans mettre en danger les grands équilibres planétaires, par exemple, le reboisement après exploitation de la forêt

[12] **François Mitterrand :** président de la France
le Nord : les pays de l'hémisphère Nord
le PNB : le Produit National Brut

[13] **Brice Lalonde** (né en 1946) : membre des Amis de la Terre depuis 1971 ; secrétaire d'Etat, puis ministre de l'environnement 1988–1991 ; chef du parti Génération Ecologie

l'après-guerre : période qui a suivi la Deuxième Guerre mondiale

Les mots

craindre : appréhender, attendre avec inquiétude

le pire : *contr.,* le meilleur

gagner son pari : réussir

vain : inutile

s'engager : faire une promesse ferme

[1] **pari** (m) : *ici,* promesse
samba (f) : danse populaire brésilienne
réunis : ensemble
boucler : terminer
engagement (m) : promesse, assurance
pavoiser : *ici,* déclarer avec joie

[2] **favela** (f) : au Brésil, quartier surpeuplé et très pauvre au bord d'une ville
déboiser : abattre, éliminer
être en marche : commencer
défi (m) **démesuré :** objectif énorme
passer au premier plan : devenir la priorité
avoir beau clamer : crier, protester en vain
accoucher d'une souris : produire peu de résultats

[3] **anarcadier** (m) : arbre de l'Amérique tropicale
parquer (fam) : installer

en complet veston : *ici,* habillés pour une réunion officielle
acharné : déterminé
riches et pauvres : *ici,* les pays riches et les pays pauvres

[4] **aboutir à :** avoir comme résultat
gaz (m) **à effet de serre :** gaz carbonique (CO_2) qui réchauffe trop la planète en contribuant pour 49 % à l'effet de serre
retirer l'échéancier : éliminer la date-limite
se battre : lutter
ramener : réduire

[5] **léser :** faire du mal à

[6] **atteinte** (f) **à :** attaque contre

[7] **lié :** rattaché

[9] **lancer :** proposer

[10] **être placé auprès de :** faire partie de

[11] **pas de quoi :** pas de raison de
parapher : signer
se montrer... vert : adopter une attitude aussi verte que possible

tout (m) : ensemble
nanti : riche
montant (m) : total d'un compte

connaisseur (m) : expert
faire son temps : être dépassé, démodé

INTERACTION AVEC LE TEXTE

Les idées essentielles

1. Quelle réunion a eu lieu à Rio ?

2. Qui a participé à cette réunion ?

3. Quels ont été les objectifs de la réunion ?

4. Est-ce que tous les groupes venus à Rio étaient d'accord sur l'importance des résultats obtenus ? Donnez des exemples.

5. Quels sont les sept résultats cités par la journaliste ?

6. Quels engagements précis est-ce que le président de la France a donnés en faveur du développement durable et de l'environnement ?

Analyse des idées

1. Pourquoi, avant la réunion de Rio, pouvait-on douter du succès du sommet de la Terre ?

2. Qu'est-ce qui se passait dans le monde à l'époque du sommet et aurait pu empêcher qu'on donne la priorité à l'environnement ?

3. Pourquoi est-ce que la réunion de Rio a été un « spectacle » ?

4. Qu'est-ce que les différents groupes en présence à Rio avaient en commun ? Qu'est-ce qui les séparait ?

5. Quelle attitude est-ce que François Mitterrand recommande dans les relations entre le Sud et le Nord ?

6. A votre avis, est-ce que les pays riches doivent payer la protection de l'environnement dans les pays pauvres ? Justifiez votre opinion.

7. Comment est-ce que Brice Lalonde juge les résultats du sommet ?

8. Comment est-ce que la journaliste juge les résultats du sommet ?

Activités orales

1. *Discussion.* Que pensez-vous des résultats du sommet de la Terre à Rio ?

2. *Débat.* Est-il déjà trop tard pour sauver notre planète ? Justifiez votre opinion.

3. *Echange d'idées.* Pensez-vous que le gouvernement de votre pays se préoccupe assez des problèmes d'environnement ? Justifiez votre opinion.

Activités écrites

1. *Lettre.* Vous écrivez une lettre à un industriel qui pollue beaucoup votre ville ou votre région. Vous n'êtes pas content(e) du tout.

2. *Rédaction.* Comment pourrait-on changer notre mode de vie pour mieux préserver notre environnement ?

3. *Rédaction.* A votre avis, quelle est la plus grave menace qui pèse sur notre planète ?

PHOTOS, DESSINS, ET CARTES. P. 2 : Photo © The Cousteau Society. P. 7 : Larry Sampson. P. 11 : AP/Wide World Photos, AFP Photo. P. 14 : L'Express. P. 18 : APF Photo. P. 22 : Agence Gamma. P. 26 : Agence Gamma. P. 27 : Larry Sampson. P. 30 : AP/Wide World Photos, Jill Salyards, AP/Wide World Photos. P. 37 : AFP Photo, AP/Wide World Photos, AP/Wide World Photos, AFP Photo, Jill Salyards. P. 38 : AFP Photo. P. 49 : AFP Photo. P. 50 : AP/Wide World Photos. P. 54 : AP/Wide World Photos. P. 55 : AP/Wide World Photos. P. 60 : Bildarchiv Preussischer Kulturbesitz. P. 68 : AP/Wide World Photos. P. 69 : Don Salyards. P. 76 : Fotogram—Stone International. P. 77 : John Pole. P. 85 : Fovéa. P. 94 : Larry Sampson, French Government Tourist Office. P. 95 : L'Express, French Government Tourist Office. P. 105 : L'Express. P. 109 : Larry Sampson. P. 114 : Dauphine, Larry Sampson. P. 115 : French Government Tourist Office. P. 122 : John Pole, AP/Wide World Photos. P. 126 : John Pole, French Government Tourist Office, Fotogram—Stone International. P. 127 : Club Med, AP/Wide World Photos. P. 133 : John Pole. P. 137 : AP/Wide World Photos. P. 142 : L'Express. P. 143 : L'Express. P. 146 : L'Express. P. 147 : L'Express. P. 152 : Gouvernement du Québec. P. 153 : Larry Sampson. P. 157 : Fovéa. P. 158 : Agence Gamma. P. 162 : L'Express. P. 166 : L'Express. P. 172 : Rapho, Emile Luider. P. 179 : AP/Wide World Photos. P. 184–5 : Reprinted with permission of Time Magazine. 189 : Bettman. P. 190 : Rapho, J.M. Charles.

ARTICLES. *L'aventure Cousteau* (15 août 1986) • *Mon cottage en Normandie* (7 avril 1989) • *Marianne va-t-en guerre* (11 août 1989) • *Petits boulots, gros bras* (8 avril 1988) • *Bien tard* (23 mai 1991) • *Raphaël Confiant : l'île de la « belleté »* (26 mai 1989) • *Le sommet de l'Arche* (14 juillet 1989) • *Camembert et T.g.v.* (7 juillet 1989) • *Ce qui fait peur aux Français* (14 août 1987) • *La route n'est pas la plus meurtrière* (14 août 1987) • *De drogue à vaccin : le palmarès du risque* (14 août 1987) • *Et la sécurité ? Pas si rassurante* (14 août 1987) • *Harlem Désir : enquête sur un franc-tireur* (9 octobre 1987) • *La liberté* (21 juillet 1989) • *Un lieu commun peu banal* (11 janvier 1991) • *L'identité de l'Europe* (11 novembre 1993) • *Le match homme-femme* (20 janvier 1989) • *La famille : une idée moderne* (13 juin 1986) • *La génération cocon* (30 décembre 1988) • *Tableaux comparatifs des sondages* (30 décembre 1988) • *Douze villes pour vivre mieux* (26 septembre 1986) • *Tableaux comparatifs* (26 septembre 1986) • *Les beaux jours des technopoles* (26 septembre 1986) • *La France a trois nombrils* (29 août 1986) • *Mont Blanc : le stade ultime* (19 août 1988) • *Services : pour le pire et le meilleur* (29 mai 1987) • *Les images parlent* (29 mai 1987) • *Le secteur tertiaire en pleine expansion* (29 mai 1987) • *Des sondages d'opinion des services* (29 mai 1987) • *La France heureuse et résignée* (29 mai 1987) • *Consommateurs : la parole est à la défense* (29 mai 1987) • *Interview : il faut être le meilleur* (29 mai 1987) • *Gym : on se calme !* (30 mai 1986) • *Le goût des bistrots retrouvé* (6 mai 1988) • *Le club aux 200 millions de membres* (11 septembre 1987) • *Le français se parle au futur* (26 mai 1989) • *C'est écrit dans le Larousse !* (26 mai 1989) • *Exclus de A à Z* (24 février 1989) • *Des citoyens aux idées vertes* (22 mars 1991) • *Mers : les côtes d'alerte* (14 avril 1989) • *Sondage : les Français et la science* (22 mars 1991) • *Les risques majeurs* (14 août 1989) • *Rio après le spectacle* (19 juin 1992).